Écouter, comprendre et agir

Activités pour développer les
habiletés d'écoute, d'attention
et de compréhension verbale

Jean Gilliam DeGaetano

Directrice de la collection *Développement des apprentissages*
Brigitte Stanké

Illustrations
Kevin M. Newman

Traduction de l'américain
Michèle Morin

Chenelière/McGraw-Hill
MONTRÉAL • TORONTO

Écouter, comprendre et agir
Activités pour développer les habiletés d'écoute, d'attention et de compréhension verbale

Traduction de : *Following Auditory Directions* de Jean Gilliam DeGaetano © 1994 Great Ideas for Teaching !

© 2003 Les Éditions de la Chenelière inc.

Coordination : Josée Beauchamp
Révision linguistique et correction d'épreuves : Ginette Gratton
Infographie : Fenêtre sur cour
Couverture : Cécile Lalonde et Karina Dupuis

Catalogage avant publication de la Bibliothèque nationale du Canada

DeGaetano, Jean Gilliam

 Écouter, comprendre et agir : activités pour développer les habiletés d'écoute, d'attention et de compréhension verbale

 (Chenelière/Didactique)

 Traduction de : Following auditory directions.

 ISBN 2-89461-992-8 ✓

 1. Écoute (Psychologie) – Étude et enseignement (Préscolaire) – Méthodes actives. 2. Écoute (Psychologie) - Étude et enseignement (Primaire) – Méthodes actives. 3. Attention. 4. Mémoire. 5. Compréhension. 6. Inférence (Logique). I. Titre. II. Collection.

LB1065.D4314 2003	372.69'044	C2003-940566-4

Chenelière/McGraw-Hill
7001, boul. Saint-Laurent
Montréal (Québec)
Canada H2S 3E3
Téléphone : (514) 273-1066
Télécopieur : (514) 276-0324
chene@dlcmcgrawhill.ca

ISBN 2-89461-992-8

Dépôt légal : 2ᵉ trimestre 2003
Bibliothèque nationale du Québec
Bibliothèque nationale du Canada

Imprimé et relié au Canada

1 2 3 4 5 A 07 06 05 04 03

Dans cet ouvrage, afin d'alléger le texte, le masculin a été utilisé, sauf pour le terme enseignante. La lectrice et le lecteur verront à interpréter selon le contexte.

Nous reconnaissons l'aide financière du gouvernement du Canada par l'entremise du Programme d'aide au développement de l'industrie de l'édition (PADIÉ) pour nos activités d'édition.

Gouvernement du Québec—Programme de crédit d'impôt pour l'édition de livres—Gestion SODEC

L'Éditeur a fait tout ce qui était en son pouvoir pour retrouver les copyrights. On peut lui signaler tout renseignement menant à la correction d'erreurs ou d'omissions.

DANGER
LE PHOTOCOPILLAGE TUE LE LIVRE

Table des matières

Introduction

C'est à partir du langage que l'enfant va faire tous ses apprentissages. C'est également à partir du langage que l'enfant va chercher à comprendre le monde qui l'entoure et à s'exprimer. La maîtrise du langage est donc au cœur de sa réussite.

Écouter, comprendre et agir est un programme conçu dans le but d'atteindre cette réussite; l'ouvrage compte 33 activités permettant de développer tous les préalables à la compréhension, soit l'attention et la mémoire verbale ainsi que le vocabulaire relatif aux concepts de base. En outre, les exercices développent la capacité des enfants à faire des inférences.

Avec un matériel simple, illustré de façon plaisante et sous-tendant des objectifs clairs, le présent ouvrage aborde le langage essentiel à la compréhension verbale de l'enfant. Les illustrations amusantes captent immédiatement l'attention des élèves. Cela facilite leur concentration et, par conséquent, leur permet d'être plus réceptifs aux indices langagiers qui nuancent le sens des phrases. Ils peuvent ainsi répondre adéquatement aux consignes.

Pour les enseignantes et pour les autres professionnels du milieu scolaire, ce recueil constitue un outil pratique, efficace et d'utilisation facile. Les activités peuvent être réalisées en groupe ou avec un seul enfant. Par ailleurs, les objectifs et les consignes de chaque activité étant clairement expliqués, les parents pourront aisément les reprendre à la maison.

L'utilisation de ce matériel

Avant toute chose, il serait souhaitable de photocopier les originaux des pages reproductibles destinées aux enfants et d'en conserver quelques copies. La feuille de directives de chaque activité étant destinée à l'enseignante, une seule copie devrait être suffisante.

Avant de commencer, chaque enfant doit recevoir une copie de la feuille réponse (grande image) de l'activité qui sera abordée. L'enseignante lit à haute voix les consignes auxquelles les élèves doivent répondre sur leur feuille réponse. On laisse aux enfants le temps nécessaire pour répondre à la consigne.

Si un élève présente des difficultés avec une notion particulière, les différentes illustrations faciliteront sa compréhension. Il est de plus possible de lui donner des explications pour l'aider à trouver la réponse. Dans ce cas, il est intéressant de reprendre ultérieurement les consignes qui ont soulevé des difficultés afin de voir si l'enfant a bien compris et retenu l'information.

Bon travail et amusez-vous bien!

Calendrier des activités

Mois :	Semaine du :					Semaine du :					Semaine du :					Semaine du :					Semaine du :				
Nom de l'activité	L	M	M	J	V	L	M	M	J	V	L	M	M	J	V	L	M	M	J	V	L	M	M	J	V

Cochez d'un X les activités que vous désirez effectuer pour chacune des semaines d'un mois.

Tableau de progression de la classe

Nom des élèves	Activités																																		
---	1	2	3	4	5	6	7	8	9	10	11	12	13	14	15	16	17	18	19	20	21	22	23	24	25	26	27	28	29	30	31	32	33

Légende : ● L'élève ne comprend pas les consignes. ■ L'élève comprend et suit certaines consignes. ▲ L'élève comprend et suit toutes les consignes.

Tableau de progression de l'élève

	A c t i v i t é s																															
	1	2	3	4	5	6	7	8	9	10	11	12	13	14	15	16	17	18	19	20	21	22	23	24	25	26	27	28	29	30	31	32	33
Nom de l'élève :																																	
Date de l'activité :																																	
Compréhension des consignes																																	
– l'élève éprouve de grandes difficultés																																	
– l'élève éprouve certaines difficultés																																	
– l'élève n'éprouve aucune difficulté																																	
Compréhension des concepts de base																																	
– notion de quantité																																	
• l'élève éprouve des difficultés																																	
• l'élève n'éprouve aucune difficulté																																	
– notion spatiale																																	
• l'élève éprouve des difficultés																																	
• l'élève n'éprouve aucune difficulté																																	
– notion de couleur																																	
• l'élève éprouve des difficultés																																	
• l'élève n'éprouve aucune difficulté																																	
Compréhension des inférences																																	
– l'élève éprouve des difficultés																																	
– l'élève n'éprouve aucune difficulté																																	
Temps pour effectuer la tâche																																	
Habiletés motrices (dessiner – encercler)																																	
– l'élève éprouve de grandes difficultés																																	
– l'élève éprouve certaines difficultés																																	
– l'élève n'éprouve aucune difficulté																																	

Mon ami Fido

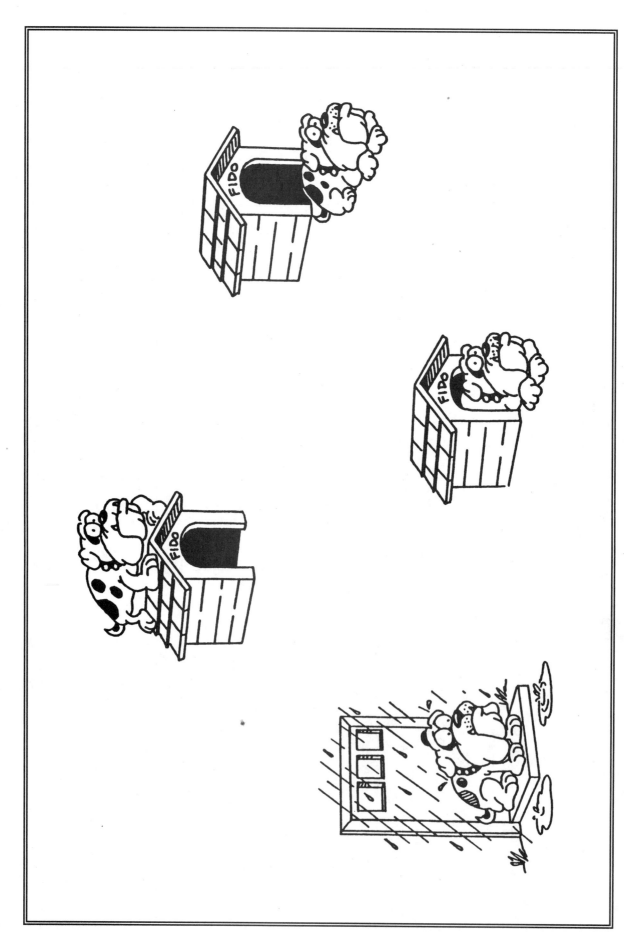

Mon ami Fido

Objectif

L'objectif de cette activité est de développer la compréhension des termes relatifs aux notions spatiales.

Matériel

- Crayons
- Crayons de couleur (huit couleurs de base)

Directives à l'enseignante

Remettez à chaque élève une reproduction de la page précédente. Les élèves travailleront sur ces grandes images.

Lisez ensuite les consignes ci-dessous à haute voix. Laissez aux enfants le temps nécessaire pour fournir la réponse ou suivre chaque consigne. N'hésitez pas à relire les consignes, au besoin.

1. Encercle l'image montrant Fido devant la porte de la maison.

2. Colorie en vert les yeux du chien qui se trouve sur le toit de la niche.

3. Trouve l'illustration montrant Fido devant sa niche et colorie Fido en brun.

4. Trouve l'illustration sur laquelle Fido est presque entièrement dans sa niche. Colorie le toit de la niche en noir.

5. Imagine que Fido a sauté sur le toit de sa niche parce qu'il y avait un serpent devant sa niche. Dessine ce serpent au bon endroit.

6. Tandis que Fido était couché devant sa niche, un oiseau s'est perché sur le toit de la niche. Dessine l'oiseau au bon endroit.

Notes personnelles

Drôles d'hippopotames

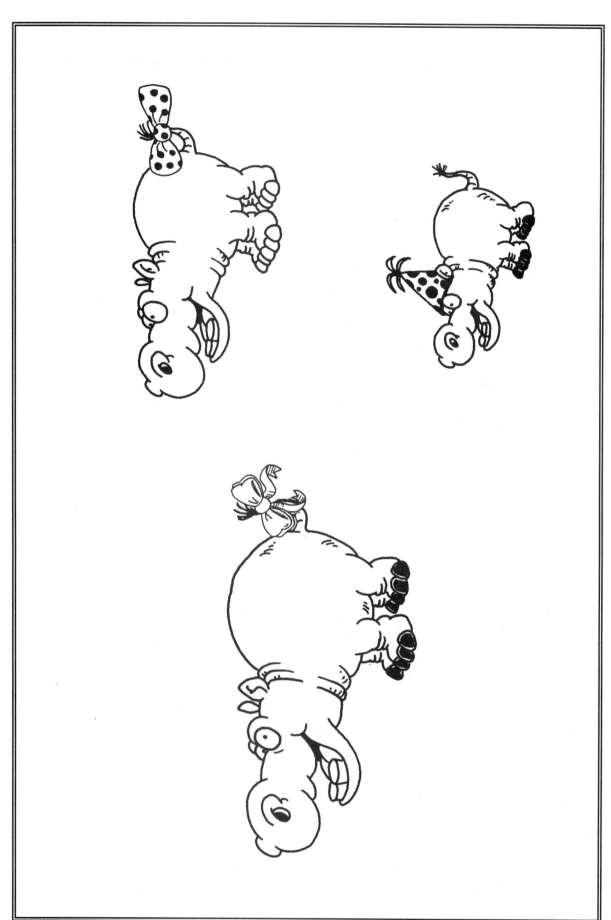

Drôles d'hippopotames

Objectif

L'objectif de cette activité est de développer la compréhension des subordonnées relatives.

Matériel

- Crayons
- Crayons de couleur (huit couleurs de base)

Directives à l'enseignante

Remettez à chaque élève une reproduction de la page précédente. Les élèves travailleront sur ces grandes images.

Lisez ensuite les consignes ci-dessous à haute voix. Laissez aux enfants le temps nécessaire pour fournir la réponse ou suivre chaque consigne. N'hésitez pas à relire les consignes, au besoin.

1. Encercle l'hippopotame qui porte un chapeau et qui a les ongles d'orteils peints.

2. Fais des points sur l'hippopotame qui a les ongles d'orteils peints et qui porte une boucle.

3. Souligne l'hippopotame qui porte une boucle mais qui n'a pas les ongles d'orteils peints.

4. Colorie en vert les yeux de l'hippopotame qui n'a pas de boucle à la queue.

5. Colorie les ongles d'orteils de l'hippopotame qui n'a pas de vernis à ongles sur ses ongles d'orteils.

6. Dessine un chapeau à l'hippopotame le plus gros.

Notes personnelles

On s'amuse !

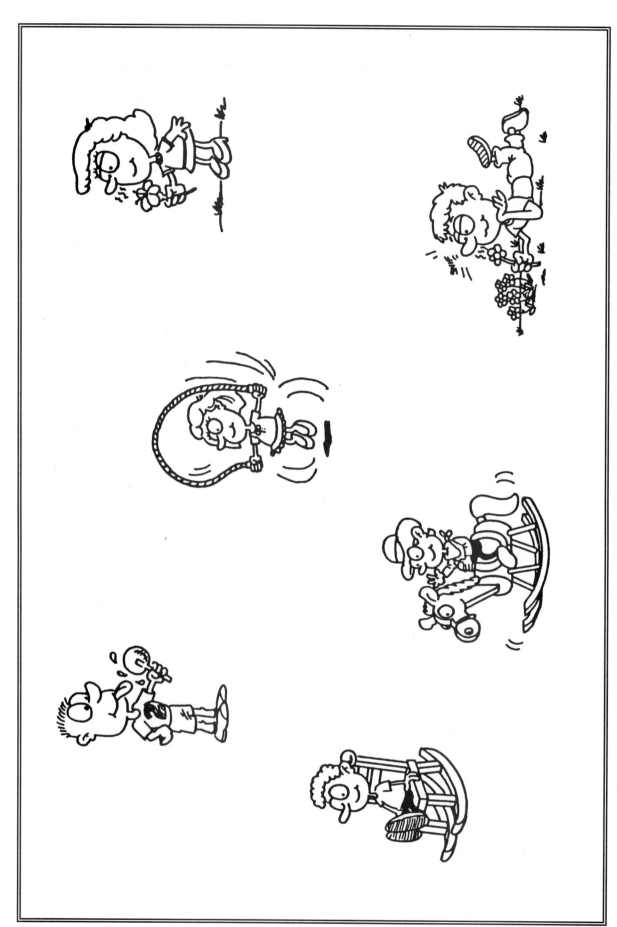

On s'amuse !

Objectif

L'objectif de cette activité est de développer la compréhension des subordonnées relatives.

Matériel

- Crayons
- Crayons de couleur (huit couleurs de base)

Directives à l'enseignante

Remettez à chaque élève une reproduction de la page précédente. Les élèves travailleront sur ces grandes images.

Lisez ensuite les consignes ci-dessous à haute voix. Laissez aux enfants le temps nécessaire pour fournir la réponse ou suivre chaque consigne. N'hésitez pas à relire les consignes, au besoin.

1. Encercle le garçon qui se berce sur un objet qui comporte un siège et un dossier.

2. Colorie en brun les chaussures du garçon qui ne porte pas de chapeau et dont les pieds ne touchent pas le sol.

3. Colorie en brun les cheveux de la personne qui saute à pieds joints.

4. Colorie en blond les cheveux de la personne qui est debout et qui sent quelque chose.

5. Souligne la personne qui n'est ni debout ni assise et qui ne saute pas.

6. Colorie en bleu les yeux de tous les personnages assis.

Notes personnelles

Les oiseaux

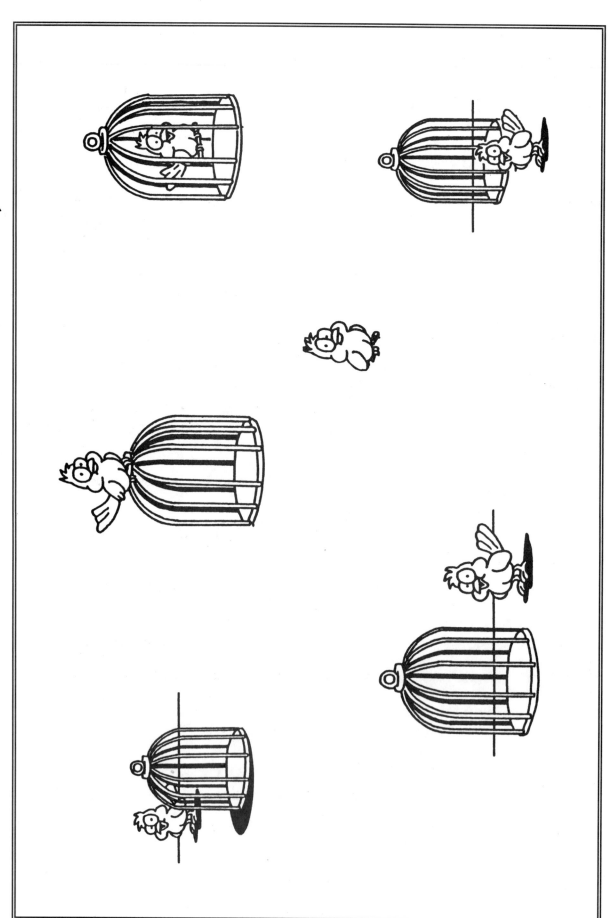

Les oiseaux

Objectif

L'objectif de cette activité est de développer la compréhension des termes relatifs aux notions spatiales.

Matériel

- Crayons
- Crayons de couleur (huit couleurs de base)

Directives à l'enseignante

Remettez à chaque élève une reproduction de la page précédente. Les élèves travailleront sur ces grandes images.

Lisez ensuite les consignes ci-dessous à haute voix. Laissez aux enfants le temps nécessaire pour fournir la réponse ou suivre chaque consigne. N'hésitez pas à relire les consignes, au besoin.

1. Bimbi est l'oiseau qui est debout derrière sa cage. Colorie Bimbi en rouge.

2. Bibi est l'oiseau dans la cage. Colorie Bibi en bleu.

3. Bilibou est l'oiseau qui se trouve à côté de sa cage. Colorie Bilibou en orange.

4. Bobo est l'oiseau qui n'a pas de cage. Colorie Bobo en vert.

5. Bébé est l'oiseau qui est debout devant sa cage. Colorie les plumes de Bébé en jaune et le reste en orange.

6. Buba est l'oiseau qui s'est posé sur sa cage. Colorie Buba en violet.

Notes personnelles

À table !

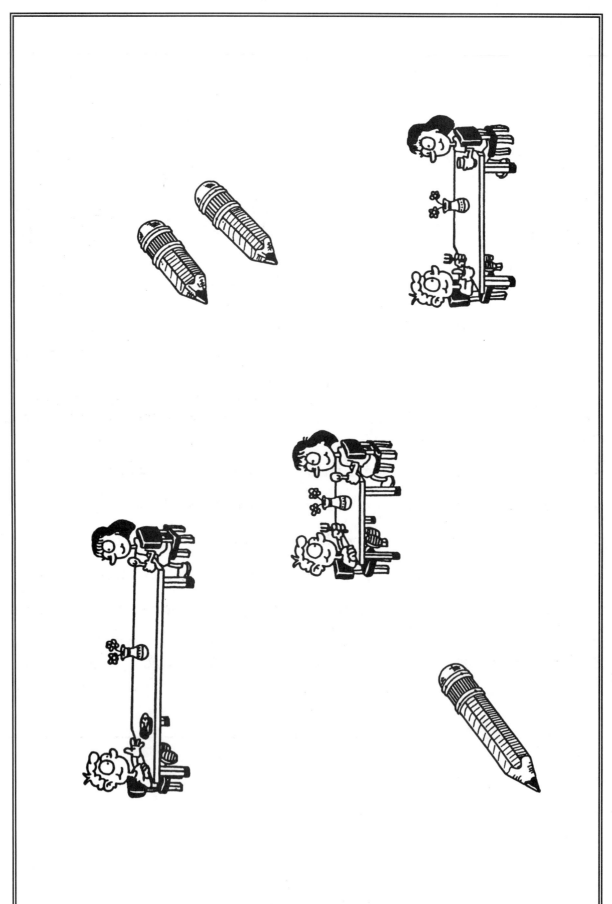

À table !

Objectif

L'objectif de cette activité est de développer la compréhension des termes relatifs aux notions de grandeur.

Matériel

- Crayons
- Crayons de couleur (huit couleurs de base)

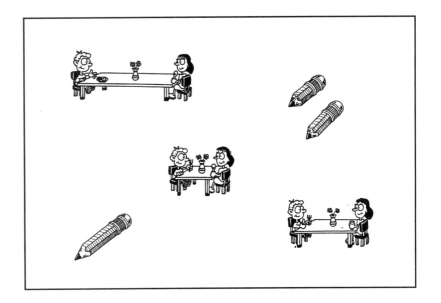

Directives à l'enseignante

Remettez à chaque élève une reproduction de la page précédente. Les élèves travailleront sur ces grandes images.

Lisez ensuite les consignes ci-dessous à haute voix. Laissez aux enfants le temps nécessaire pour fournir la réponse ou suivre chaque consigne. N'hésitez pas à relire les consignes, au besoin.

1. Relie par un trait le plus long crayon et la table la plus longue.

2. Colorie en vert les yeux des enfants qui sont assis à la table la plus courte.

3. Encercle le crayon le plus court et colorie sa gomme à effacer en rouge.

4. Dessine un insecte sur la table qui n'est ni la plus longue ni la plus courte.

5. Trouve la table où les enfants sont assis le plus près l'un de l'autre et colorie le dessus de cette table en jaune.

6. Dessine un chat sous la plus longue des tables.

Notes personnelles

De drôles de clowns

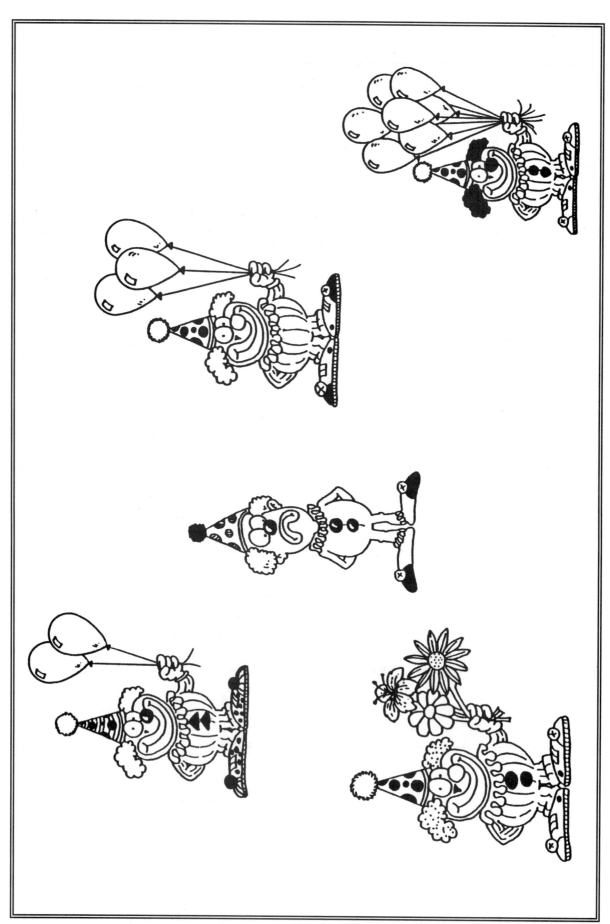

De drôles de clowns

Objectif

L'objectif de cette activité est de développer la compréhension des termes relatifs aux notions de quantité.

Matériel

- Crayons
- Crayons de couleur (huit couleurs de base)

Directives à l'enseignante

Remettez à chaque élève une reproduction de la page précédente. Les élèves travailleront sur ces grandes images.

Lisez ensuite les consignes ci-dessous à haute voix. Laissez aux enfants le temps nécessaire pour fournir la réponse ou suivre chaque consigne. N'hésitez pas à relire les consignes, au besoin.

1. Coco tient des ballons et son costume n'a pas de boutons. Colorie le nez de Coco en rouge.

2. Bozo a le plus grand nombre de ballons. Colorie les yeux de Bozo en vert.

3. Zozo tient quelque chose, mais pas des ballons. Colorie le chapeau de Zozo en violet.

4. Jako n'a ni ballons ni fleurs et il n'est pas content. Colorie le costume de Jako en rouge.

5. Jo porte aussi des ballons, mais il en a moins que Bozo ou Coco. Encercle Jo.

6. Trouve le clown qui a une bouche très différente de celles des autres clowns. Colorie en bleu les chaussures et le chapeau de ce clown.

Notes personnelles

L'heure de la collation

L'heure de la collation

Objectif

L'objectif de cette activité est de développer la compréhension des termes relatifs aux notions de quantité.

Matériel

- Crayons
- Crayons de couleur (huit couleurs de base)

Directives à l'enseignante

Remettez à chaque élève une reproduction de la page précédente. Les élèves travailleront sur ces grandes images.

Lisez ensuite les consignes ci-dessous à haute voix. Laissez aux enfants le temps nécessaire pour fournir la réponse ou suivre chaque consigne. N'hésitez pas à relire les consignes, au besoin.

1. Encercle le fruit qui est presque complètement mangé.

2. Barre le garçon qui a fini de manger un dessert glacé.

3. Trouve la pomme qui est entière et colorie-la en rouge.

4. Colorie en brun les cheveux du garçon qui commence à manger un dessert glacé.

5. Relie par un trait le fruit auquel il manque quelques bouchées et le dessert glacé auquel il manque aussi quelques bouchées.

6. Trouve le garçon dont le chandail n'est ni le plus sale ni le plus propre. Colorie ses cheveux en noir.

Notes personnelles

Un gentil petit canard

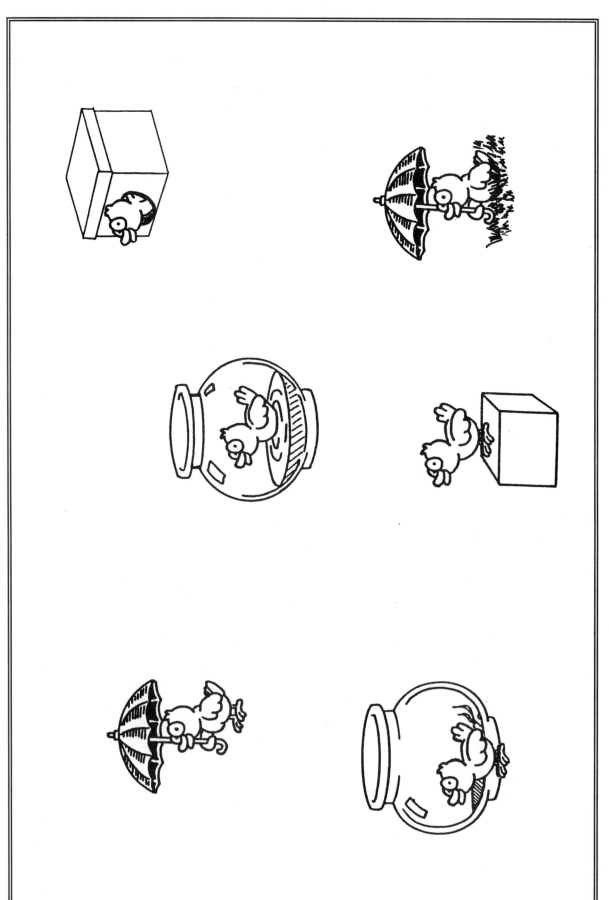

Un gentil petit canard

Objectif

L'objectif de cette activité est de développer la compréhension des termes relatifs aux notions spatiales.

Matériel

- Crayons
- Crayons de couleur (huit couleurs de base)

Directives à l'enseignante

Remettez à chaque élève une reproduction de la page précédente. Les élèves travailleront sur ces grandes images.

Lisez ensuite les consignes ci-dessous à haute voix. Laissez aux enfants le temps nécessaire pour fournir la réponse ou suivre chaque consigne. N'hésitez pas à relire les consignes, au besoin.

1. Dessine un chapeau rouge au canard qui se trouve dans le bocal.

2. Repère le canard qui est debout sous un parapluie. Colorie le parapluie en violet et le canard en jaune.

3. Colorie en orange le bec du canard qui se trouve près d'un aquarium, mais pas dedans.

4. Trouve un canard debout sur un cube. Fais deux points sur un côté de ce cube.

5. La boîte qui contient un canard aurait besoin d'une boucle sur le dessus. Dessine cette boucle.

6. Il pleut sur le parapluie du canard accroupi. Dessine des gouttes de pluie.

Notes personnelles

Un voyage en canot

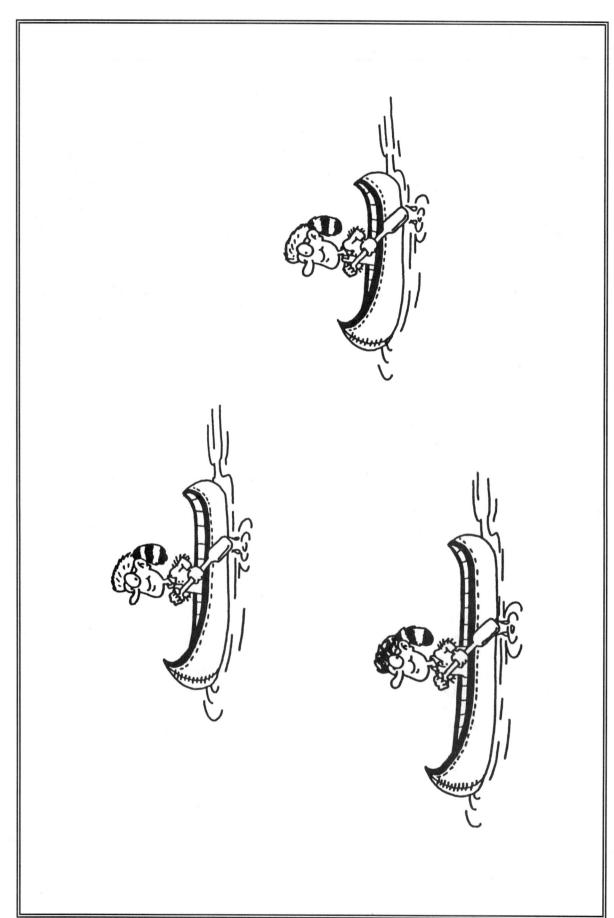

Un voyage en canot

Objectif

L'objectif de cette activité est de développer la compréhension des termes relatifs aux notions de grandeur.

Matériel

- Crayons
- Crayons de couleur (huit couleurs de base)

Directives à l'enseignante

Remettez à chaque élève une reproduction de la page précédente. Les élèves travailleront sur ces grandes images.

Lisez ensuite les consignes ci-dessous à haute voix. Laissez aux enfants le temps nécessaire pour fournir la réponse ou suivre chaque consigne. N'hésitez pas à relire les consignes, au besoin.

1. Léo, Théo et Paulo rament. Léo se trouve dans le canot le plus court. Colorie en jaune sa toque de fourrure.

2. Théo se trouve dans le canot le plus long. Colorie en brun sa toque de fourrure.

3. Paulo n'est ni dans le plus long canot ni dans le plus court. Fais cinq points orange sur son canot et colorie sa toque en orange.

4. Relie par un trait le plus long canot et le canot le plus court.

5. Dessine un drapeau sur le devant du canot qui n'est ni le plus long ni le plus court.

6. Encercle l'homme qui rame dans le canot le plus court.

Notes personnelles

Grand et petit

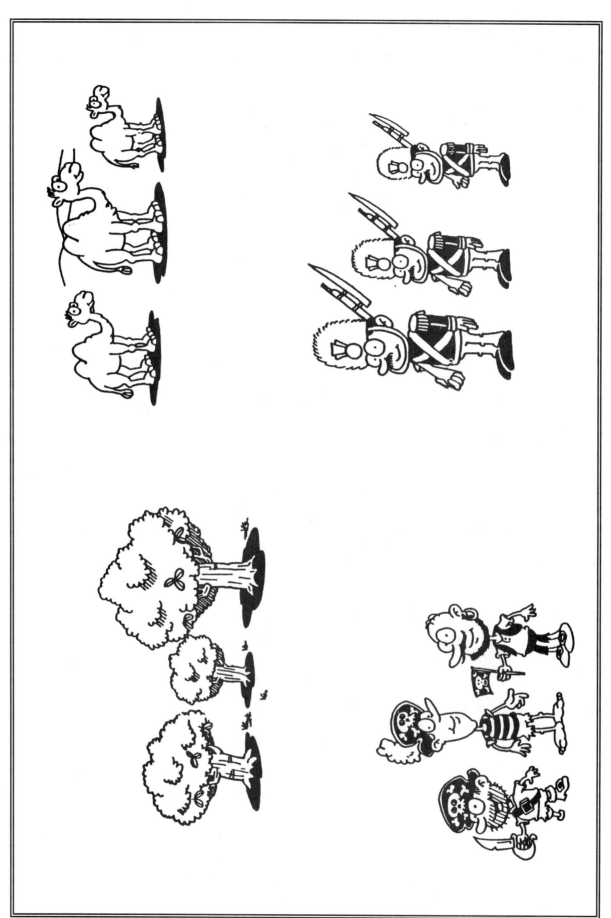

Grand et petit

Objectif

L'objectif de cette activité est de développer la compréhension des termes relatifs aux notions spatiales.

Matériel

- Crayons
- Crayons de couleur (huit couleurs de base)

Directives à l'enseignante

Remettez à chaque élève une reproduction de la page précédente. Les élèves travailleront sur ces grandes images.

Lisez ensuite les consignes ci-dessous à haute voix. Laissez aux enfants le temps nécessaire pour fournir la réponse ou suivre chaque consigne. N'hésitez pas à relire les consignes, au besoin.

1. La plus grande personne de ce groupe se trouve au milieu. Encercle cette personne.

2. Le plus petit homme de ce groupe ne se trouve pas à côté de l'homme le plus grand. Souligne l'homme de plus petite taille.

3. Encercle l'arbre qui se trouve entre l'arbre le plus haut et l'arbre de hauteur moyenne.

4. Dessine un chapeau au chameau qui marche devant le chameau le plus grand.

5. Barre le soldat qui est entre les deux autres soldats.

6. Colorie en vert les yeux de la seule personne qui ne porte pas de chapeau.

Notes personnelles

La visite du serpent

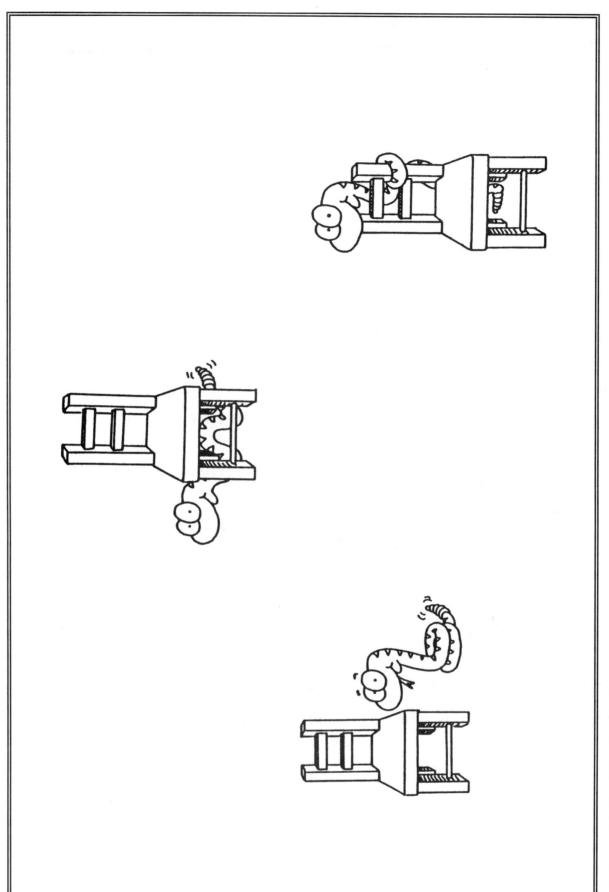

La visite du serpent

Objectif

L'objectif de cette activité est de développer la compréhension des termes relatifs aux notions spatiales.

Matériel

- Crayons
- Crayons de couleur (huit couleurs de base)

Directives à l'enseignante

Remettez à chaque élève une reproduction de la page précédente. Les élèves travailleront sur ces grandes images.

Lisez ensuite les consignes ci-dessous à haute voix. Laissez aux enfants le temps nécessaire pour fournir la réponse ou suivre chaque consigne. N'hésitez pas à relire les consignes, au besoin.

1. Colorie en vert les yeux du serpent qui est sous la chaise.

2. Fais des points rouges sur le serpent qui ne touche pas à une chaise.

3. Souligne la chaise qui se trouve au-dessus d'un serpent.

4. Colorie en rouge les yeux du serpent qui se trouve en grande partie derrière une chaise.

5. Encercle le serpent qui est derrière une chaise.

6. Un serpent s'enroule autour d'une partie d'une chaise. Colorie ce serpent en noir.

Notes personnelles

Un mignon chaton

Un mignon chaton

Objectif

L'objectif de cette activité est de développer la compréhension des termes relatifs aux notions spatiales.

Matériel

- Crayons
- Crayons de couleur (huit couleurs de base)

Directives à l'enseignante

Remettez à chaque élève une reproduction de la page précédente. Les élèves travailleront sur ces grandes images.

Lisez ensuite les consignes ci-dessous à haute voix. Laissez aux enfants le temps nécessaire pour fournir la réponse ou suivre chaque consigne. N'hésitez pas à relire les consignes, au besoin.

1. Repère le chat qui se trouve sous un objet et colorie-le en jaune.

2. Repère l'objet qui se trouve sur un chat et colorie-le de la couleur de l'herbe.

3. Trouve le chat qui est près d'une tête de lit. Colorie ce chat en brun.

4. Encercle le chat qui n'est pas près d'une tête de lit et qui n'est pas en dessous de quelque chose ou sur un objet.

5. Repère le meuble qui se trouve sous le chat qui dort. Colorie en vert ce qui recouvre ce meuble.

6. Trace un X bleu sur le meuble qui a des accoudoirs mais pas de mains.

Notes personnelles

Tiens-le bien !

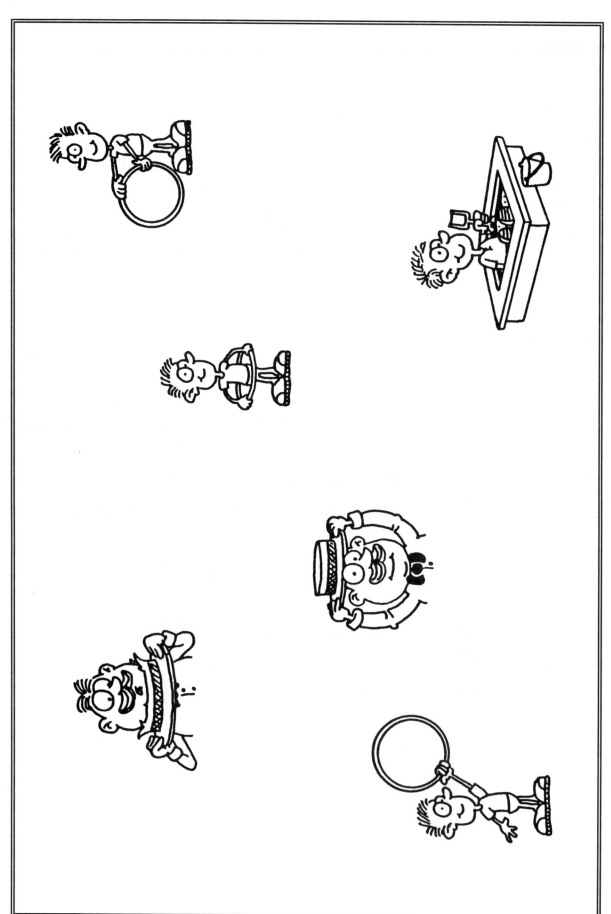

Tiens-le bien!

Objectif

L'objectif de cette activité est de développer la compréhension des termes relatifs aux notions spatiales.

Matériel

- Crayons
- Crayons de couleur (huit couleurs de base)

Directives à l'enseignante

Remettez à chaque élève une reproduction de la page précédente. Les élèves travailleront sur ces grandes images.

Lisez ensuite les consignes ci-dessous à haute voix. Laissez aux enfants le temps nécessaire pour fournir la réponse ou suivre chaque consigne. N'hésitez pas à relire les consignes, au besoin.

1. Encercle l'homme qui vient de passer sa tête à travers le chapeau.

2. Trace des points sur le chandail du garçon qui tient un objet en l'air d'une seule main.

3. Un garçon tient un cerceau sur le côté. Colorie en jaune les cheveux de ce garçon.

4. Colorie en bleu les yeux de l'homme qui tient son chapeau au-dessus de sa tête.

5. Souligne le garçon qui tient le cerceau autour de lui.

6. Colorie le cerceau qui est tenu d'une seule main. Colorie-le de la couleur d'une banane.

Notes personnelles

Les jolis bocaux

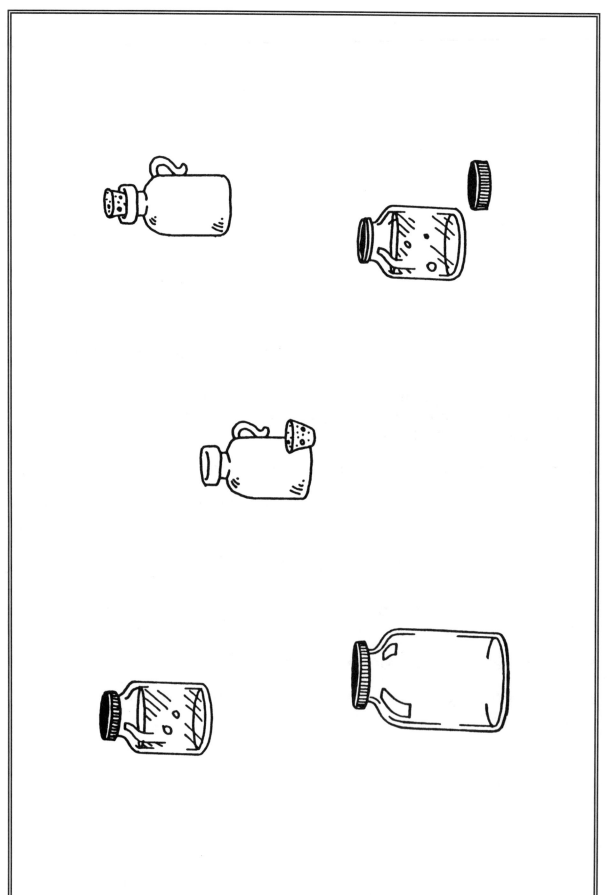

Les jolis bocaux

Objectif

L'objectif de cette activité est de développer la compréhension des antonymes.

Matériel

- Crayons
- Crayons de couleur (huit couleurs de base)

Directives à l'enseignante

Remettez à chaque élève une reproduction de la page précédente. Les élèves travailleront sur ces grandes images.

Lisez ensuite les consignes ci-dessous à haute voix. Laissez aux enfants le temps nécessaire pour fournir la réponse ou suivre chaque consigne. N'hésitez pas à relire les consignes, au besoin.

1. Encercle le bocal vide.

2. Trace un petit X sur la cruche qui n'est pas ouverte.

3. Barre le bocal fermé qui contient de l'eau.

4. Trace deux traits sous la cruche qui est fermée.

5. Encercle le bouchon de la cruche qui est ouverte.

6. Encercle le couvercle du bocal ouvert qui contient de l'eau.

Notes personnelles

Les fourmis s'amusent

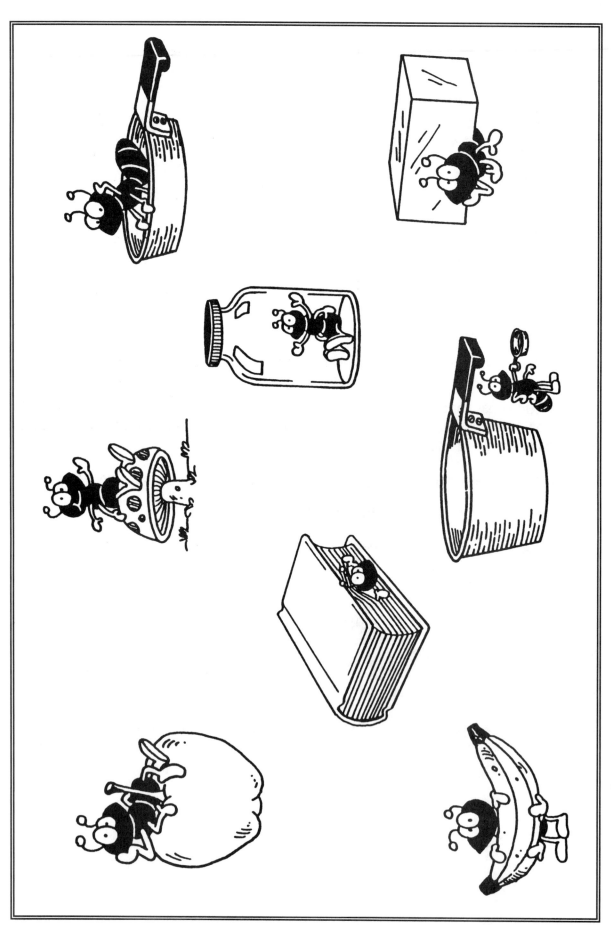

Les fourmis s'amusent

Objectif

L'objectif de cette activité est de développer la compréhension des termes relatifs aux notions spatiales.

Matériel

- Crayons
- Crayons de couleur (huit couleurs de base)

Directives à l'enseignante

Remettez à chaque élève une reproduction de la page précédente. Les élèves travailleront sur ces grandes images.

Lisez ensuite les consignes ci-dessous à haute voix. Laissez aux enfants le temps nécessaire pour fournir la réponse ou suivre chaque consigne. N'hésitez pas à relire les consignes, au besoin.

1. Encercle la fourmi qui se trouve dans un objet fermé par un couvercle.

2. Souligne la fourmi qui se trouve sous un objet.

3. Il y a deux fourmis sur des objets. Colorie en vert les yeux de ces deux fourmis.

4. Dessine un chapeau à la fourmi qui tient un fruit devant elle.

5. Fais une flèche pour pointer la fourmi qui sort d'un objet pour jeter un coup d'œil à l'extérieur.

6. Fais deux points au-dessus de la fourmi qui se trouve dans le poêlon.

Notes personnelles

En cercle ou en rangée

En cercle ou en rangée

Objectif

L'objectif de cette activité est de développer la compréhension des termes relatifs aux notions spatiales.

Matériel

- Crayons
- Crayons de couleur (huit couleurs de base)

Directives à l'enseignante

Remettez à chaque élève une reproduction de la page précédente. Les élèves travailleront sur ces grandes images.

Lisez ensuite les consignes ci-dessous à haute voix. Laissez aux enfants le temps nécessaire pour fournir la réponse ou suivre chaque consigne. N'hésitez pas à relire les consignes, au besoin.

1. Encercle les objets disposés en rond.

2. Souligne les trois figurines qui forment une rangée. Ces figurines ne sont pas identiques.

3. Trace un X sur les trois objets qui ont le même usage. Ces objets ne forment pas une rangée.

4. Dessine un rectangle autour des objets identiques qui forment une rangée.

5. Dans une des illustrations, il y a un objet au centre d'un cercle. Colorie cet objet en bleu.

6. Relie par un trait les images représentant des personnes ou des objets disposés en rangée.

Notes personnelles

La récolte des citrouilles

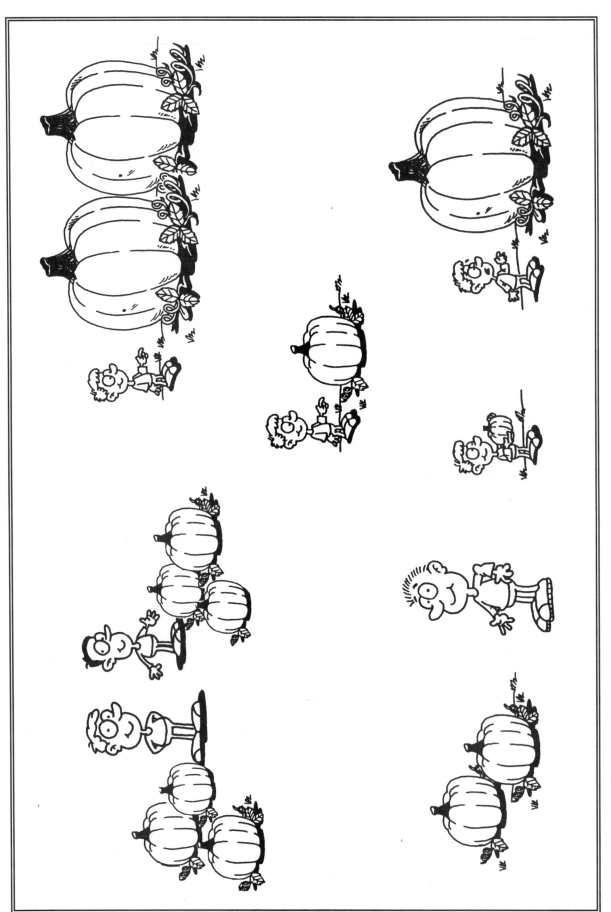

La récolte des citrouilles

Objectif

L'objectif de cette activité est de développer la compréhension des termes relatifs aux notions spatiales et de grandeur.

Matériel

- Crayons
- Crayons de couleur (huit couleurs de base)

Directives à l'enseignante

Remettez à chaque élève une reproduction de la page précédente. Les élèves travailleront sur ces grandes images.

Lisez ensuite les consignes ci-dessous à haute voix. Laissez aux enfants le temps nécessaire pour fournir la réponse ou suivre chaque consigne. N'hésitez pas à relire les consignes, au besoin.

1. Colorie en brun les cheveux du garçon de grande taille qui se trouve à côté de deux citrouilles.

2. Colorie en rouge le chandail du petit garçon qui se trouve à côté d'une citrouille géante.

3. Colorie en brun les chaussures du petit garçon qui se trouve à côté de deux grosses citrouilles.

4. Repère le petit garçon à côté de la citrouille de taille moyenne. Encercle ce garçon.

5. Colorie la citrouille que tient un petit garçon.

6. Encercle les deux garçons qui se trouvent chacun à côté de trois citrouilles.

Notes personnelles

Le coffre au trésor

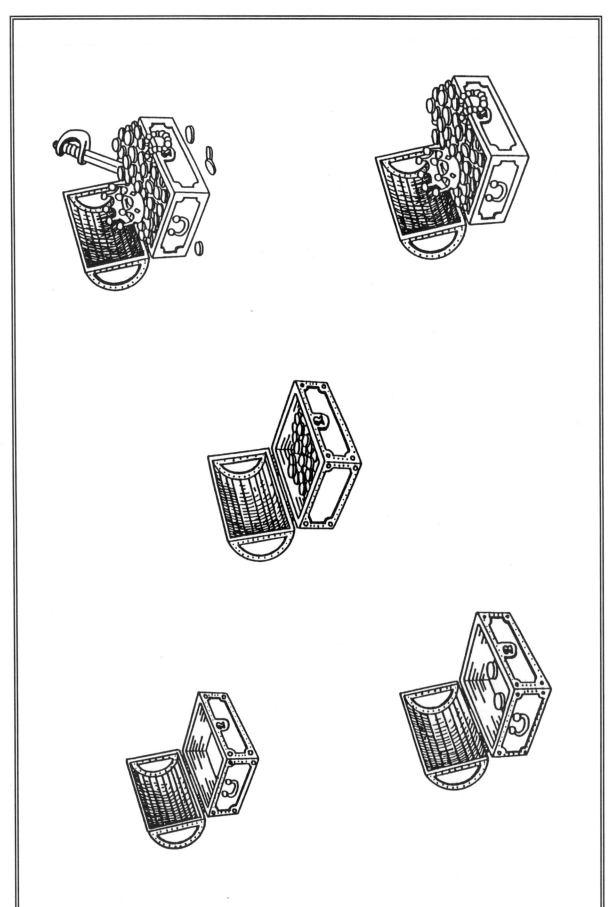

Le coffre au trésor

Objectif

L'objectif de cette activité est de développer la compréhension des termes relatifs aux notions de quantité.

Matériel

- Crayons
- Crayons de couleur (huit couleurs de base)

Directives à l'enseignante

Remettez à chaque élève une reproduction de la page précédente. Les élèves travailleront sur ces grandes images.

Lisez ensuite les consignes ci-dessous à haute voix. Laissez aux enfants le temps nécessaire pour fournir la réponse ou suivre chaque consigne. N'hésitez pas à relire les consignes, au besoin.

1. Encercle le coffre qui contient des pièces d'or, une couronne et une épée.

2. Barre le coffre vide.

3. Il manque une poignée à l'un des coffres. Dessine la poignée qui manque sur ce coffre.

4. Trouve le coffre qui contient quelques pièces d'or, mais qui n'en contient pas autant que les autres coffres. Souligne ce coffre.

5. Trouve un coffre qui est identique à un autre coffre, sauf qu'il ne contient pas d'épée. Encadre ce coffre.

6. Relie par un trait les coffres qui sont trop pleins pour être fermés.

Notes personnelles

Nom : _____   Date : _____

Le hibou et ses amis

Le hibou et ses amis

Objectif

L'objectif de cette activité est de développer la compréhension des termes relatifs aux notions spatiales.

Matériel

- Crayons
- Crayons de couleur (huit couleurs de base)

Directives à l'enseignante

Remettez à chaque élève une reproduction de la page précédente. Les élèves travailleront sur ces grandes images.

Lisez ensuite les consignes ci-dessous à haute voix. Laissez aux enfants le temps nécessaire pour fournir la réponse ou suivre chaque consigne. N'hésitez pas à relire les consignes, au besoin.

1. Encercle l'oiseau qui vole au-dessus de trois oiseaux posés sur une branche.

2. Sur une branche, il y a un gros oiseau et deux petits oiseaux. Colorie les petits oiseaux en bleu.

3. Un petit oiseau était seul sur une branche jusqu'à ce qu'un autre oiseau décide de se poser à côté de lui. Colorie ces deux oiseaux en rouge.

4. Un oiseau vole en dessous de trois oiseaux. Fais des points sur ces trois oiseaux.

5. Un petit oiseau est seul sur une branche. Colorie-le en vert.

6. Trouve trois oiseaux qui volent au-dessus d'un arbre. Colorie-les en rouge.

Notes personnelles

Les vêtements

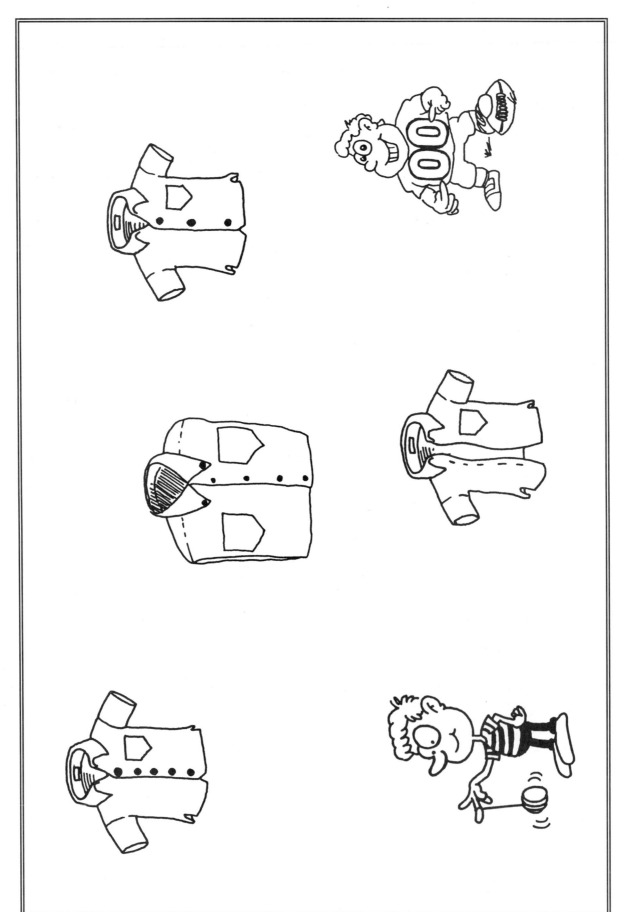

Les vêtements

Objectif

L'objectif de cette activité est de développer la compréhension des termes relatifs aux notions de quantité.

Matériel

- Crayons
- Crayons de couleur (huit couleurs de base)

Directives à l'enseignante

Remettez à chaque élève une reproduction de la page précédente. Les élèves travailleront sur ces grandes images.

Lisez ensuite les consignes ci-dessous à haute voix. Laissez aux enfants le temps nécessaire pour fournir la réponse ou suivre chaque consigne. N'hésitez pas à relire les consignes, au besoin.

1. Dessine trois points sur la chemise qui n'a plus aucun bouton.

2. Colorie en vert pâle la chemise qui a trois boutons.

3. La chemise qui a plusieurs boutons et une seule poche doit être coloriée en orange.

4. Trouve la chemise qui a deux poches et un col boutonné. Colorie la chemise en rouge clair, puis le col et les poches en rouge foncé.

5. Le chandail rayé doit être colorié en jaune et noir.

6. Colorie en orange le chandail de football et colorie les chiffres en vert foncé.

Notes personnelles

Les métiers

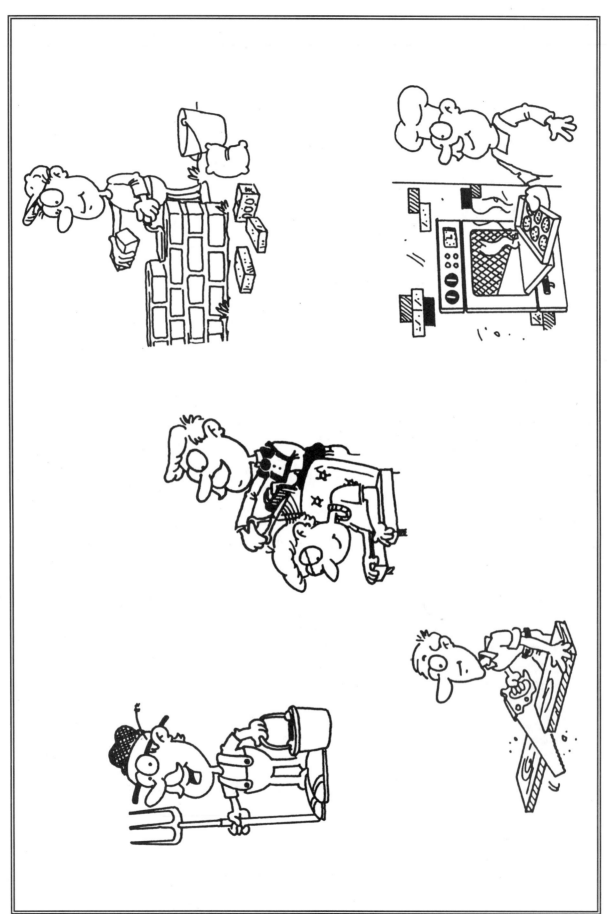

Les métiers

Objectif

L'objectif de cette activité est de développer la compréhension des subordonnées relatives.

Matériel

- Crayons
- Crayons de couleur (huit couleurs de base)

Directives à l'enseignante

Remettez à chaque élève une reproduction de la page précédente. Les élèves travailleront sur ces grandes images.

Lisez ensuite les consignes ci-dessous à haute voix. Laissez aux enfants le temps nécessaire pour fournir la réponse ou suivre chaque consigne. N'hésitez pas à relire les consignes, au besoin.

1. L'homme qui construit le mur d'une maison porte une casquette bleue. Colorie sa casquette.

2. Trouve l'homme qui donne aux gens l'air propre et élégant. Il a les cheveux bruns. Colorie ses cheveux.

3. Voir trop de biscuits ou de petits gâteaux peut donner mal au cœur, mais cette personne aime vraiment faire la cuisine. Colorie ses yeux en bleu.

4. Encercle l'objet qui sert à couper des planches pour faire des étagères.

5. La personne qui cultive la terre et trait les vaches porte un chapeau noir. Encercle ce chapeau.

6. Il y a une personne qui fait le même travail que l'homme de la chanson «Sur la ferme à Mathurin». Colorie les vêtements de cette personne en bleu.

Notes personnelles

Des pieds bien chaussés

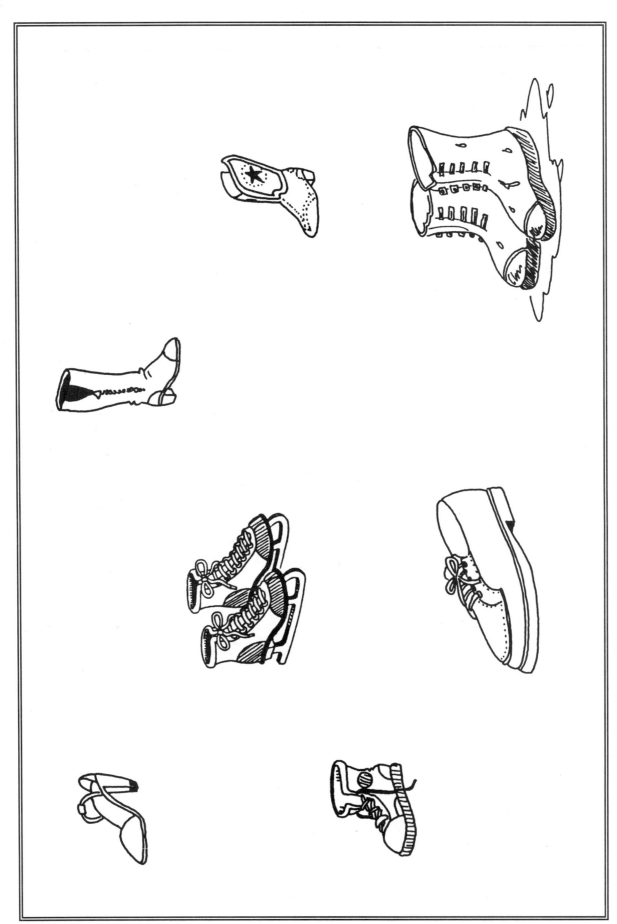

Des pieds bien chaussés

Objectif

L'objectif de cette activité est de développer la compréhension des phrases subordonnées relatives.

Matériel

- Crayons
- Crayons de couleur (huit couleurs de base)

Directives à l'enseignante

Remettez à chaque élève une reproduction de la page précédente. Les élèves travailleront sur ces grandes images.

Lisez ensuite les consignes ci-dessous à haute voix. Laissez aux enfants le temps nécessaire pour fournir la réponse ou suivre chaque consigne. N'hésitez pas à relire les consignes, au besoin.

1. Mets trois points sur la chaussure dont le lacet est attaché.

2. Encercle les chaussures qui ont des lacets et qui sont fixées à des lames.

3. Ces chaussures imperméables sont jaunes et ont plusieurs attaches. Colorie-les.

4. Barre la bottine qui a un lacet pendant.

5. La jolie chaussure de soirée de madame Simard est violette. Colorie-la.

6. Il reste deux bottes. Colorie en jaune la botte de cow-boy et colorie l'autre botte en brun.

Notes personnelles ───────────

Dans la maison...

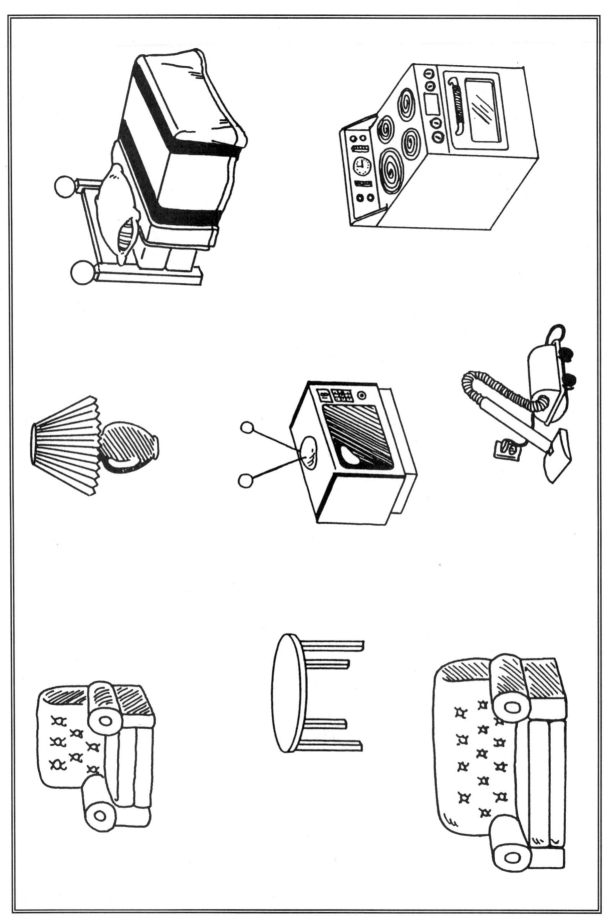

Dans la maison...

Objectif

L'objectif de cette activité est de développer la capacité à faire des inférences.

Matériel

- Crayons
- Crayons de couleur (huit couleurs de base)

Directives à l'enseignante

Remettez à chaque élève une reproduction de la page précédente. Les élèves travailleront sur ces grandes images.

Lisez ensuite les consignes ci-dessous à haute voix. Laissez aux enfants le temps nécessaire pour fournir la réponse ou suivre chaque consigne. N'hésitez pas à relire les consignes, au besoin.

1. Encercle en rouge l'appareil qui sert à cuire les repas.

2. Souligne en vert l'appareil qui sert à faire le ménage de la maison.

3. Utilise un crayon rouge pour colorier un meuble dans lequel plus d'une personne peut s'asseoir.

4. Encadre l'appareil qui divertit.

5. Fais trois points orange sur le meuble dans lequel tu dors la nuit, dans ta chambre.

6. Trace deux traits bleus sous l'objet qui contient une ampoule électrique.

Notes personnelles

Les arbres feuillus

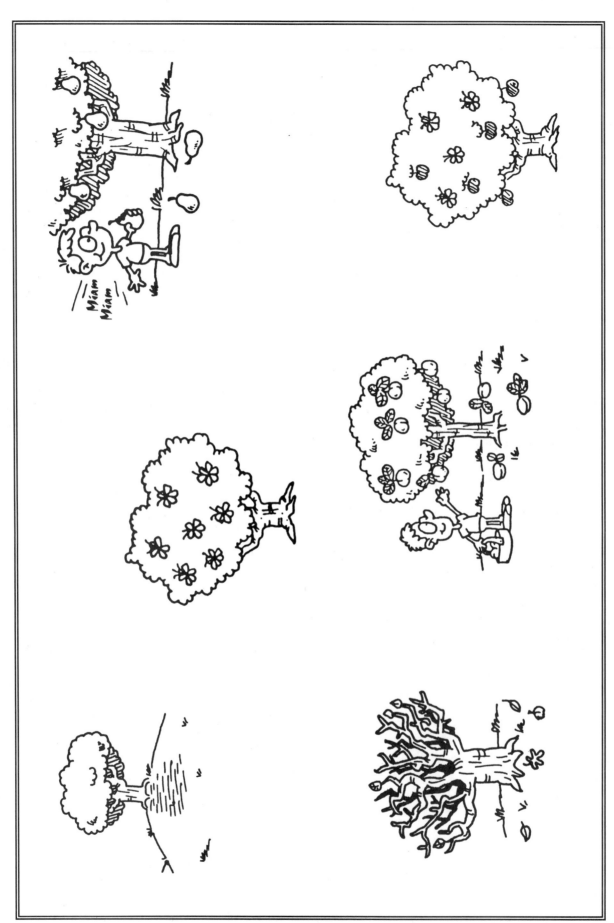

50 Activité 24

Les arbres feuillus

Objectif

L'objectif de cette activité est de développer la compréhension des termes relatifs aux notions spatiales.

Matériel

- Crayons
- Crayons de couleur (huit couleurs de base)

Directives à l'enseignante

Remettez à chaque élève une reproduction de la page précédente. Les élèves travailleront sur ces grandes images.

Lisez ensuite les consignes ci-dessous à haute voix. Laissez aux enfants le temps nécessaire pour fournir la réponse ou suivre chaque consigne. N'hésitez pas à relire les consignes, au besoin.

1. Colorie en jaune les poires qui se trouvent dans le poirier.

2. Colorie en rouge les pommes qui se trouvent dans le pommier, puis dessine une pomme sur le sol.

3. D'abord, colorie en jaune toutes les pêches; ensuite ajoute un peu de rouge sur le jaune pour que tes fruits ressemblent davantage à des pêches.

4. Encercle l'arbre qui ressemble à un pommier en hiver.

5. Trace deux lignes rouges sous le pommier qui est en fleurs. Les pommes vont bientôt se développer.

6. Barre l'arbre qui se trouve sur la colline, car ce n'est pas un arbre fruitier.

Notes personnelles

Les maisons

Nom : _____

Date : _____

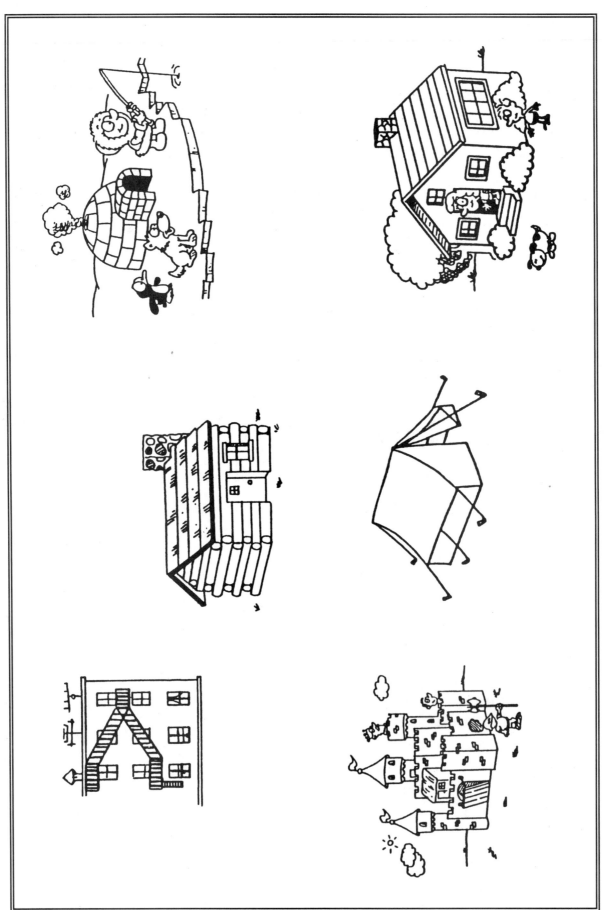

Les maisons

Objectif

L'objectif de cette activité est de développer la capacité à faire des inférences

Matériel

- Crayons
- Crayons de couleur (huit couleurs de base)

Directives à l'enseignante

Remettez à chaque élève une reproduction de la page précédente. Les élèves travailleront sur ces grandes images.

Lisez ensuite les consignes ci-dessous à haute voix. Laissez aux enfants le temps nécessaire pour fournir la réponse ou suivre chaque consigne. N'hésitez pas à relire les consignes, au besoin.

1. Encercle l'habitation qui loge plusieurs familles.

2. Encadre en bleu l'habitation qui pourrait être construite au pôle Nord.

3. Si tu veux aller camper mais que tu n'as pas envie de dormir sous la tente, tu pourrais choisir cette habitation. Colorie-la en brun.

4. Un roi et une reine vivent ici. Colorie le toit des tourelles en rouge et mets le reste en jaune.

5. Les scouts la dressent sur le terrain. Colorie-la en vert et dessine un feu de camp devant.

6. Repère une maison qui pourrait se trouver dans un village. Colorie en vert les buissons et l'arbre et colorie la maison à ton goût.

_____ Notes personnelles _____

Jouons de la musique !

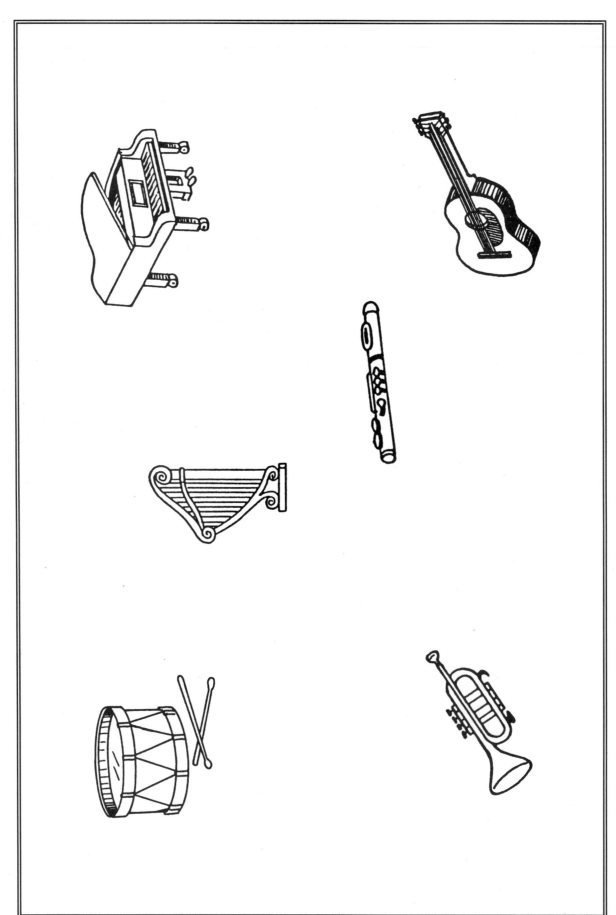

Jouons de la musique!

Objectif

L'objectif de cette activité est de développer la capacité à faire des inférences.

Matériel

- Crayons
- Crayons de couleur (huit couleurs de base)

Directives à l'enseignante

Remettez à chaque élève une reproduction de la page précédente. Les élèves travailleront sur ces grandes images.

Lisez ensuite les consignes ci-dessous à haute voix. Laissez aux enfants le temps nécessaire pour fournir la réponse ou suivre chaque consigne. N'hésitez pas à relire les consignes, au besoin.

1. Pour jouer de cet instrument, tu dois le frapper. Colorie les baguettes en brun et le tour de l'instrument en rouge.

2. Pour faire de la musique avec cet instrument, tu dois souffler dedans. Certaines parties de cet instrument sont courbées. Entoure la partie où tu mettrais ta bouche pour souffler.

3. On se sert des deux mains pour pincer les cordes de cet instrument. Trace deux traits rouges en dessous de cet instrument.

4. Pour jouer de cet instrument, il faut en abaisser les touches à l'aide des doigts. Cet instrument a des pédales. Colorie-le en brun mais laisse les touches blanches.

5. C'est un petit instrument dans lequel on souffle. Colorie-le au crayon.

6. Beaucoup de chanteurs populaires jouent de cet instrument à cordes. Colorie-le en rouge vif.

Notes personnelles

Vies de bestioles

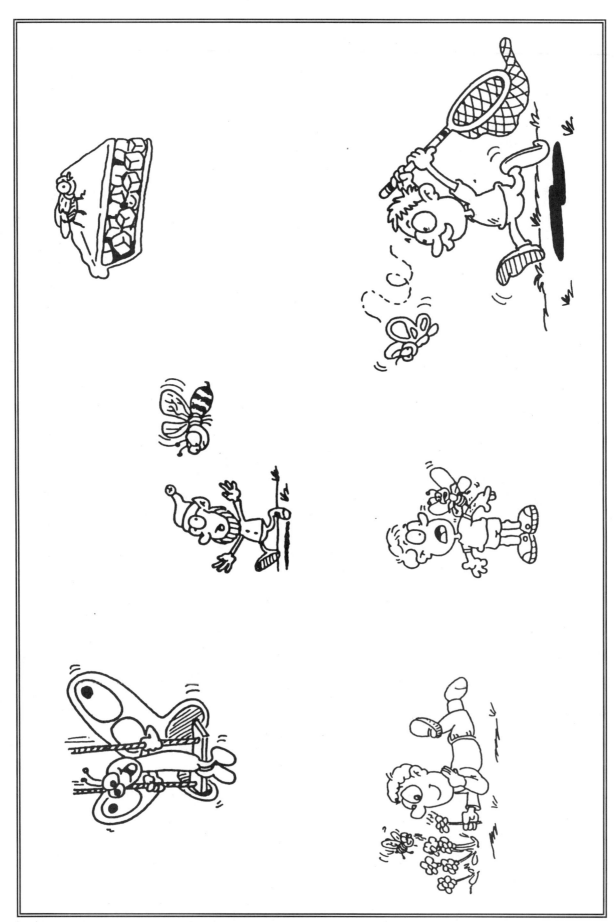

Vies de bestioles

Objectif

L'objectif de cette activité est de développer la compréhension des termes relatifs aux notions spatiales.

Matériel

- Crayons
- Crayons de couleur (huit couleurs de base)

Directives à l'enseignante

Remettez à chaque élève une reproduction de la page précédente. Les élèves travailleront sur ces grandes images.

Lisez ensuite les consignes ci-dessous à haute voix. Laissez aux enfants le temps nécessaire pour fournir la réponse ou suivre chaque consigne. N'hésitez pas à relire les consignes, au besoin..

1. Tu ne voudrais vraiment pas voir une mouche sur la pointe de tarte que tu t'apprêtes à manger. Fais sortir la mouche de la tarte à l'aide d'une flèche rouge.

2. Sur cette illustration, un papillon fait une action imaginaire. Colorie ce papillon en bleu et en vert.

3. Ce garçon ne savait pas qu'une dangereuse abeille était près de lui, sinon il aurait fui. Colorie le chandail de ce garçon en rouge et sa culotte courte en bleu.

4. Un papillon doit fuir, sinon il finira dans la collection de monsieur Legris. Dessine un rocher devant monsieur Legris pour permettre au papillon de lui échapper.

5. Le petit lutin est à peine plus gros qu'une abeille. Encercle l'abeille.

6. Cette petite abeille n'aime pas piquer. Elle préfère respirer le parfum des fleurs.

Notes personnelles

En route !

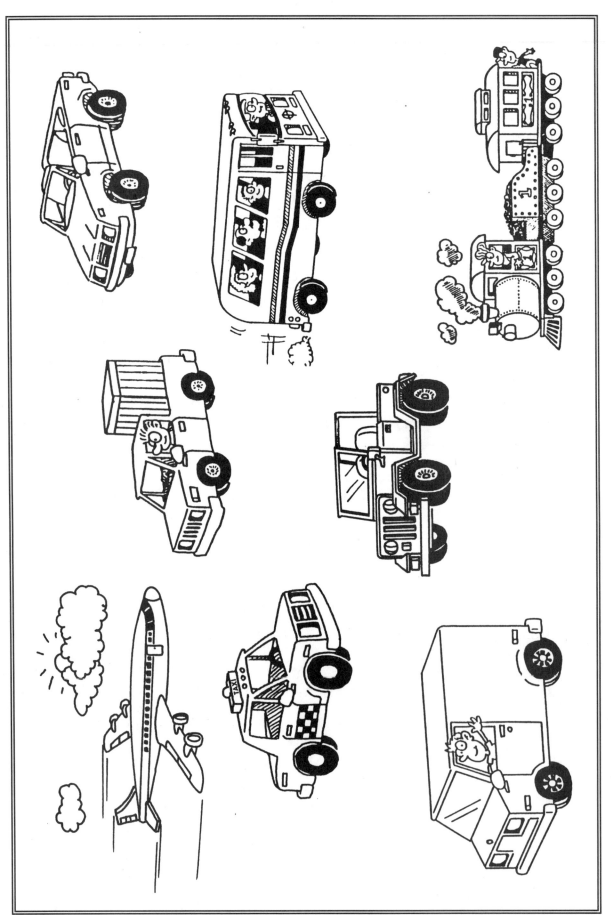

En route !

Objectif

L'objectif de cette activité est de développer la capacité à faire des inférences.

Matériel

- Crayons
- Crayons de couleur (huit couleurs de base)

Directives à l'enseignante

Remettez à chaque élève une reproduction de la page précédente. Les élèves travailleront sur ces grandes images.

Lisez ensuite les consignes ci-dessous à haute voix. Laissez aux enfants le temps nécessaire pour fournir la réponse ou suivre chaque consigne. N'hésitez pas à relire les consignes, au besoin.

1. Fais trois points sur le taxi.

2. Trouve le véhicule qui transporte de nombreuses personnes sur les autoroutes. Colorie-le en rouge.

3. Les voitures tout-terrains peuvent voyager sur des routes cahoteuses. Dessine un tas de petits cailloux sous la voiture tout-terrain.

4. Trouve un véhicule qui se déplace sur des rails. Colorie ses roues en violet et sa locomotive en rouge.

5. Ce moyen de transport ne voyage pas sur l'autoroute, même s'il a des roues que l'on peut déployer. Colorie-le en bleu.

6. Ce véhicule sert au transport des objets. C'est un fourgon fermé. Dessine deux petits triangles sur son côté.

Notes personnelles

Vive le sport!

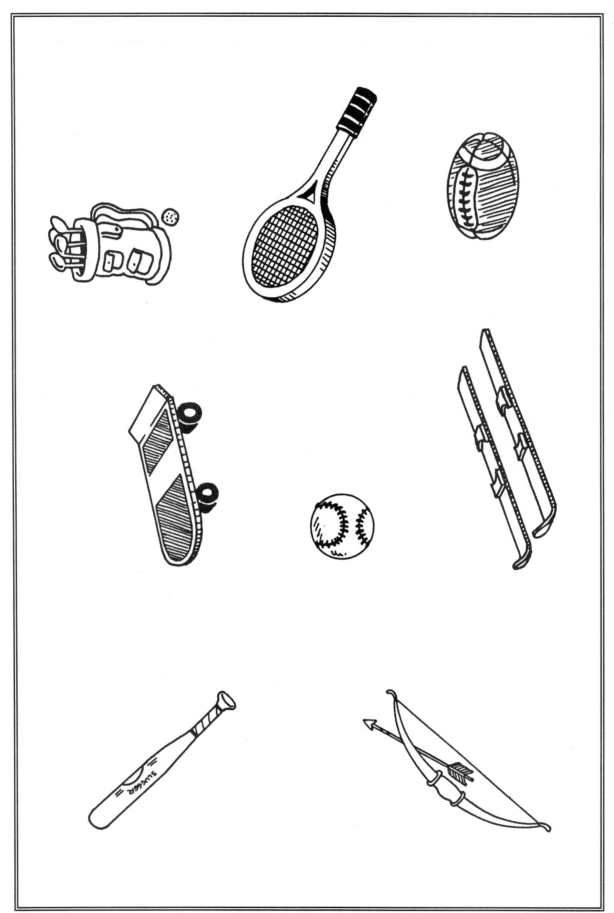

Vive le sport!

Objectif

L'objectif de cette activité est de développer la compréhension des termes relatifs à l'utilisation des articles de sport.

Matériel

- Crayons
- Crayons de couleur (huit couleurs de base)

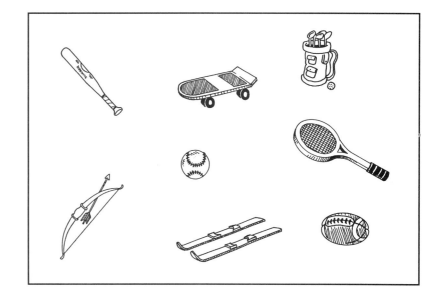

Directives à l'enseignante

Remettez à chaque élève une reproduction de la page précédente. Les élèves travailleront sur ces grandes images.

Lisez ensuite les consignes ci-dessous à haute voix. Laissez aux enfants le temps nécessaire pour fournir la réponse ou suivre chaque consigne. N'hésitez pas à relire les consignes, au besoin.

1. Tu l'utilises pour jouer au tennis. Colories-en le cadre de la couleur des cerises.

2. Tu les utilises sur les pentes de ski. Tu dois les colorier de la couleur des bananes.

3. C'est ce qu'utilise un frappeur dans une partie de base-ball. D'abord, colorie-le en jaune; ajoute ensuite un peu de brun par-dessus le jaune.

4. On lui donne des coups de pied et il est fait en cuir. Colorie-le de la couleur d'une tablette de chocolat.

5. Tu te tiens debout dessus quand tu roules. Mets cet objet de la couleur des feuilles au printemps.

6. Pour pouvoir tirer, il ne te manque qu'une cible. Colorie l'arc en orange et mets la flèche rouge.

Notes personnelles

Le royaume des animaux

Le royaume des animaux

Objectif

L'objectif de cette activité est de développer la capacité à faire des inférences.

Matériel

- Crayons
- Crayons de couleur (huit couleurs de base)

Directives à l'enseignante

Remettez à chaque élève une reproduction de la page précédente. Les élèves travailleront sur ces grandes images.

Lisez ensuite les consignes ci-dessous à haute voix. Laissez aux enfants le temps nécessaire pour fournir la réponse ou suivre chaque consigne. N'hésitez pas à relire les consignes, au besoin.

1. Cet animal grimpe aux arbres, mais il ne peut se balancer à l'aide de sa queue. Dessine de l'herbe verte sous lui.

2. Cet animal vit en Australie. Il bondit et transporte son bébé dans sa poche. Colorie cet animal en orange.

3. Cet animal très spécial a de grandes oreilles, des défenses et une trompe. Dessine-lui un chapeau comique sur la tête et une boucle à la queue.

4. Colorie en orange cet animal qui rugit. Colorie en vert l'herbe qui l'entoure.

5. Cet animal aime manger les feuilles des arbres. Il peut atteindre de très hauts feuillages. Dessine-lui un grand arbre pour qu'il puisse y manger des feuilles.

6. Cet animal parcourt la forêt en se balançant de branche en branche. Colorie-le en brun avec des yeux jaune clair.

Notes personnelles

Monsieur Morin et ses copains

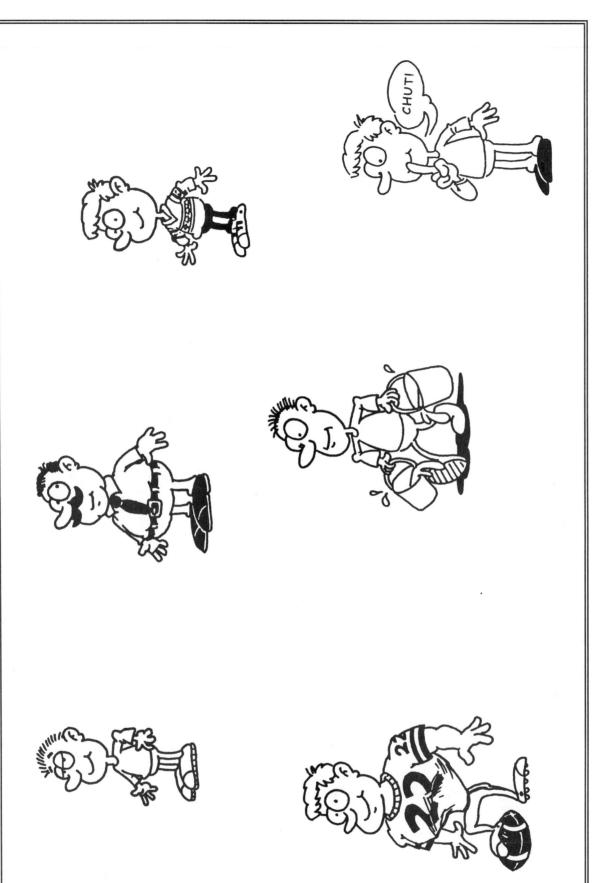

Monsieur Morin et ses copains

Objectif

L'objectif de cette activité est de développer la compréhension de consignes diverses.

Matériel

- Crayons
- Crayons de couleur (huit couleurs de base)

Directives à l'enseignante

Remettez à chaque élève une reproduction de la page précédente. Les élèves travailleront sur ces grandes images.

Lisez ensuite les consignes ci-dessous à haute voix. Laissez aux enfants le temps nécessaire pour fournir la réponse ou suivre chaque consigne. N'hésitez pas à relire les consignes, au besoin.

1. Colorie les cheveux du joueur de football en jaune et ses yeux en bleu.

2. Jean vient d'essayer son nouveau chandail de laine. Colorie-lui les cheveux en brun et son chandail en jaune et en bleu.

3. Jacquot aide le fermier à transporter le lait de l'étable. Colorie les yeux de Jacquot en brun et encercle chacun de ses seaux.

4. Louis a demandé aux enfants de garder le silence à la bibliothèque. Colorie son chandail en rouge et son pantalon en vert.

5. Monsieur Morin porte une cravate au travail. Laisse sa chemise blanche mais colorie son pantalon et ses yeux en brun.

6. Aujourd'hui, Gabi est tout endormi parce qu'il s'est couché trop tard hier soir. Il ne se rend pas compte que ses chaussures sont désassorties. L'une est brune et l'autre est bleue. Colorie ses chaussures.

Notes personnelles

Dans la forêt

Dans la forêt

Objectif

L'objectif de cette activité est de développer la capacité à faire des inférences.

Matériel

- Crayons
- Crayons de couleur (huit couleurs de base)

Directives à l'enseignante

Remettez à chaque élève une reproduction de la page précédente. Les élèves travailleront sur ces grandes images.

Lisez ensuite les consignes ci-dessous à haute voix. Laissez aux enfants le temps nécessaire pour fournir la réponse ou suivre chaque consigne. N'hésitez pas à relire les consignes, au besoin.

1. Trouve l'animal qui saute plutôt que de marcher. Colorie sa fourrure en brun pâle.

2. Trouve l'animal qui a des sabots et des bois. Colorie ses bois en jaune, ses yeux en vert et le reste en brun.

3. Cet animal saute d'une branche à l'autre. Colorie sa fourrure en brun et ses yeux en jaune. Dessine trois glands sur le sol devant lui.

4. Cet animal est un très bon nageur à cause de sa queue plate. Colorie cet animal en brun pâle. Colorie l'écorce de l'arbre brun foncé.

5. Cet animal peut être très dangereux et il ne vit habituellement pas près des maisons. Dessine une cage autour de lui pour te souvenir que c'est une bête féroce.

6. Cet animal s'approche parfois des maisons des gens et renverse leurs poubelles pour y trouver de la nourriture. Colorie cet animal au crayon et dessine une poubelle à côté de lui.

Notes personnelles

Des chapeaux rigolos

Des chapeaux rigolos

Objectif

L'objectif de cette activité est de développer la compréhension des subordonnées relatives.

Matériel

- Crayons
- Crayons de couleur (huit couleurs de base)

Directives à l'enseignante

Remettez à chaque élève une reproduction de la page précédente. Les élèves travailleront sur ces grandes images.

Lisez ensuite les consignes ci-dessous à haute voix. Laissez aux enfants le temps nécessaire pour fournir la réponse ou suivre chaque consigne. N'hésitez pas à relire les consignes, au besoin.

1. Encercle l'homme qui tient un chapeau de magicien.

2. Un homme porte un chapeau de paille. Colorie ce chapeau en jaune.

3. Relie par un trait l'homme qui porte un petit chapeau et l'homme qui porte un chapeau trop grand pour lui.

4. L'homme qui porte le chapeau de pirate a les yeux verts. Son perroquet a les yeux jaunes. Colorie leurs yeux.

5. Encercle le chapeau du pâtissier. Ensuite, fais cinq points violets sur son tablier.

6. Tu dois colorier le chapeau du cow-boy en vert pâle. Dessine deux plumes rouges à son chapeau.

_____ **Notes personnelles** _____

Chenelière/Didactique

A — APPRENTISSAGE

Accompagner la construction des savoirs
Rosée Morissette, Micheline Voynaud

Au pays des gitans
Un répertoire d'outils pour développer la gestion cognitive de l'attention, de la mémoire et de la planification
Martine Leclerc

Des idées plein la tête
Exercices axés sur le développement cognitif et moteur
Geneviève Daigneault, Josée Leblanc

Déficit d'attention et hyperactivité
Stratégies pour intervenir autrement en classe
Thomas Armstrong

Être attentif... une question de gestion !
Un répertoire d'outils pour développer la gestion cognitive de l'attention, de la mémoire et de la planification
Pierre-Paul Gagné, Danielle Noreau, Line Ainsley

Être prof, moi j'aime ça !
Les saisons d'une démarche de croissance pédagogique
L. Arpin, L. Capra

Intégrer les intelligences multiples dans votre école
Thomas R. Hoerr

La gestion mentale
Au cœur de l'apprentissage
Danielle Bertrand-Poirier,
Claire Côté, Francesca Gianesin, Lucille Paquette Chayer
- COMPRÉHENSION DE LECTURE
- GRAMMAIRE
- MÉMORISATION
- RÉSOLUTION DE PROBLÈMES

L'apprentissage à vie
La pratique de l'éducation des adultes et de l'andragogie
Louise Marchand

L'apprentissage par projets
Lucie Arpin, Louise Capra

Le cerveau et l'apprentissage
Mieux comprendre le fonctionnement du cerveau pour mieux enseigner
Eric Jensen

Les intelligences multiples
Guide pratique
Bruce Campbell

Les intelligences multiples dans votre classe
Thomas Armstrong

Les secrets de l'apprentissage
Robert Lyons

Par quatre chemins
L'intégration des matières au cœur des apprentissages
Martine Leclerc

Pour apprendre à mieux penser
Trucs et astuces pour aider les élèves à gérer leur processus d'apprentissage
Pierre Paul Gagné

PREDECC
Programme d'entraînement et de développement des compétences cognitives
Pierre Paul Gagné, Line Ainsley
- MODULE 1 : CERVEAU... MODE D'EMPLOI !

Programme Attentix
Gérer, structurer et soutenir l'attention en classe
Alain Caron

Stratégies pour apprendre et enseigner autrement
Pierre Brazeau

Un cerveau pour apprendre
Comment rendre le processus enseignement-apprentissage plus efficace
David A. Sousa

Vivre la pédagogie du projet collectif
Collectif Morissette-Pérusset

C — CITOYENNETÉ ET COMPORTEMENT

Citoyens du monde
Éducation dans une perspective mondiale
Véronique Gauthier

Collection Rivière Bleue
Éducation aux valeurs par le théâtre
Louis Cartier, Chantale Métivier
- LES PETITS PLONGEONS (l'estime de soi, 6 à 9 ans)
- LES YEUX BAISSÉS, LE CŒUR BRISÉ (la violence, 6 à 9 ans)
- SOIS POLI, MON KIKI (la politesse, 6 à 9 ans)
- AH ! LES JEUNES, ILS NE RESPECTENT RIEN (les préjugés, 9 à 12 ans)
- COUP DE MAIN (la coopération, 9 à 12 ans)
- BRIS ET GRAFFITIS (le vandalisme, 9 à 12 ans)

Droits et libertés... à visage découvert
Au Québec et au Canada
Sylvie Loslier, Nicole Pothier

Et si un geste simple donnait des résultats...
Guide d'intervention personnalisée auprès des élèves
Hélène Trudeau et coll.

J'apprends à être heureux
Robert A. Sullo

La réparation: pour une restructuration de la discipline à l'école
Diane C. Gossen
- MANUEL
- GUIDE D'ANIMATION

La théorie du choix
William Glasser

L'éducation aux droits et aux responsabilités au primaire
Commission des droits de la personne et des droits de la jeunesse du Québec

L'éducation aux droits et aux responsabilités au secondaire
Commission des droits de la personne et des droits de la jeunesse du Québec

Mon monde de qualité
Carleen Glasser

PACTE: Un programme de développement d'habiletés socio-affectives
B. W. Doucette, S. M. Fowler
- TROUSSE POUR 4ᵉ À 7ᵉ ANNÉE (PRIMAIRE)
- TROUSSE POUR 7ᵉ À 12ᵉ ANNÉE (SECONDAIRE)

Ec ÉDUCATION À LA COOPÉRATION

Ajouter aux compétences
Enseigner, coopérer et apprendre au postsecondaire
Jim Howden, Marguerite Kopiec

Apprendre la démocratie
Guide de sensibilisation et de formation selon l'apprentissage coopératif
C. Évangéliste-Perron, M. Sabourin, C. Sinagra

Apprenons ensemble
L'apprentissage coopératif en groupes restreints
Judy Clarke et coll.

Coopérer pour réussir
Scénarios d'activités coopératives pour développer des compétences
M. Sabourin, L. Bernard, M.-F. Duchesneau, O. Fugère, S. Ladouceur, A. Andreoli, M. Trudel, B. Campeau, F. Gévry
- PRÉSCOLAIRE ET 1ᵉʳ CYCLE DU PRIMAIRE
- 2ᵉ ET 3ᵉ CYCLES DU PRIMAIRE

Découvrir la coopération
Activités d'apprentissage coopératif pour les enfants de 3 à 8 ans
B. Chambers et coll.

Je coopère, je m'amuse
100 jeux coopératifs à découvrir
Christine Fortin

La coopération au fil des jours
Des outils pour apprendre à coopérer
Jim Howden, Huguette Martin

La coopération en classe
Guide pratique appliqué à l'enseignement quotidien
Denise Gaudet et coll.

L'apprentissage coopératif
Théories, méthodes, activités

Philip C. Abrami et coll.

Le travail de groupe
Stratégies d'enseignement pour la classe hétérogène
Elizabeth G. Cohen

Structurer le succès
Un calendrier d'implantation de la coopération
Jim Howden, Marguerite Kopiec

E ÉVALUATION ET COMPÉTENCES

Comment construire des compétences en classe
Des outils pour la réforme
Steve Bisonnette, Mario Richard

Le plan de rééducation individualisé (PRI)
Une approche prometteuse pour prévenir le redoublement
Jacinthe Leblanc

Le portfolio
Évaluer pour apprendre
Louise Dore, Nathalie Michaud, Libérata Mukarugagi

Le portfolio au service de l'apprentissage et de l'évaluation
Roger Farr, Bruce Tone
Adaptation française: Pierrette Jalbert

Le portfolio de développement professionnel continu
Richard Desjardins

Portfolios et dossiers d'apprentissage
Georgette Goupil
- VIDÉOCASSETTE

Profil d'évaluation
Une analyse pour personnaliser votre pratique
Louise M. Bélair
- GUIDE DU FORMATEUR

G GESTION DE CLASSE

À la maternelle... voir GRAND!
Louise Sarrasin, Marie-Christine Poisson

Apprivoiser les différences
Guide sur la différenciation des apprentissages et la gestion des cycles
Jacqueline Caron

Apprendre... c'est un beau jeu
L'éducation des jeunes enfants dans un centre préscolaire
M. Baulu-MacWillie, R. Samson

Bien s'entendre pour apprendre
Réduire les conflits et accroître la coopération, du préscolaire au 3ᵉ cycle
Lee Canter, Katia Petersen, Louise Dore, Sandra Rosenberg

Construire une classe axée sur l'enfant
S. Schwartz, M. Pollishuke

Je danse mon enfance
Guide d'activités d'expression corporelle
et de jeux en mouvement
Marie Roy

La multiclasse
Outils, stratégies et pratiques pour la classe multi-
âge et multiprogramme
Colleen Politano, Anne Davies
Adaptation française : Monique Le Pailleur

Le conseil de coopération
Un outil pédagogique pour l'organisation de la vie
de classe et la gestion des conflits
Danielle Jasmin

L'enfant-vedette (vidéocassette)
Alan Taylor, Louise Sarrasin

Pirouettes et compagnie
Jeux d'expression dramatique, d'éveil sonore et de
mouvement pour les enfants de 1 an à 6 ans
Veronicah Larkin, Louie Suthers

Quand les enfants s'en mêlent
Ateliers et scénarios pour une meilleure motivation
Lisette Ouellet

Quand revient septembre...
Jacqueline Caron
• GUIDE SUR LA GESTION DE CLASSE PARTICIPATIVE
(VOLUME 1)
• RECUEIL D'OUTILS ORGANISATIONNELS (VOLUME 2)

Une enfance pour s'épanouir
Des outils pour le développement global de l'enfant
Sylvie Desrosiers, Sylvie Laurendeau

L LANGUE ET COMMUNICATION

À livres ouverts
Activités de lecture pour les élèves du primaire
Debbie Sturgeon

Attention, j'écoute
Jean Gilliam DeGaetano

Chercher, analyser, évaluer
Activités de recherche méthodologique
Carol Koechlin, Sandi Zwaan

Conscience phonologique
*Marilyn J. Adams, Barbara R. Foorman,
Ingvar Lundberg, Terri Beeler*

De l'image à l'action
Pour développer les habiletés de base nécessaires aux
apprentissages scolaires
Jean Gilliam DeGaetano

Histoire de lire
La littérature jeunesse dans l'enseignement
quotidien
Danièle Courchesne

L'apprenti lecteur
Activités de conscience phonologique
Brigitte Stanké

L'extrait, outil de découvertes
Le livre au cœur des apprentissages
Hélène Bombardier, Elourdes Pierre

Le français en projets
Activités d'écriture et de communication orale
Line Massé, Nicole Rozon, Gérald Séguin

Le sondage d'observation en lecture-écriture
Mary Clay, Gisèle Bourque, Diana Masny
• Livret LES ROCHES
• Livret SUIS-MOI, MADAME LA LUNE

Le théâtre dans ma classe, c'est possible !
Lise Gascon

Lire et écrire à la maison
Programme de littératie familiale favorisant
l'apprentissage de la lecture
Lise Saint-Laurent, Jocelyne Giasson, Michèle Drolet

**Lire et écrire en première année...
et pour le reste de sa vie**
Yves Nadon

Plaisir d'apprendre
Louise Dore, Nathalie Michaud

Une phrase à la fois
Brigitte Stanké, Odile Tardieu

P PARTENARIAT ET LEADERSHIP

Avant et après l'école
Mise sur pied et gestion d'un service de garde en
milieu scolaire
Sue Tarrant, Alison Jones, Diane Berger

**Communications et relations entre l'école
et la famille**
Georgette Goupil

Devoirs sans larmes
Lee Canter
• GUIDE À L'INTENTION DES PARENTS POUR MOTIVER
LES ENFANTS À FAIRE LEURS DEVOIRS ET À RÉUSSIR
À L'ÉCOLE
• GUIDE POUR LES ENSEIGNANTES ET LES ENSEIGNANTS
DE LA 1re À LA 3e ANNÉE
• GUIDE POUR LES ENSEIGNANTES ET LES ENSEIGNANTS
DE LA 4e À LA 6e ANNÉE

Enseigner à l'école qualité
William Glasser

Le leadership en éducation
Plusieurs regards, une même passion
Lyse Langlois, Claire Lapointe

**Nouveaux paradigmes pour la création
d'écoles qualité**
Brad Greene

Pour le meilleur... jamais le pire
Prendre en main son devenir
Francine Bélair

POUR PLUS DE RENSEIGNEMENTS OU POUR COMMANDER, COMMUNIQUEZ AVEC NOTRE SERVICE À LA CLIENTÈLE AU **(514) 273-8055.**

Chenelière/McGraw-Hill
7001, boul. Saint-Laurent
Montréal (Québec)
Canada H2S 3E3
Téléphone : (514) 273-1066
Télécopieur : (514) 276-0324
chene@dlcmcgrawhill.ca

En avant la lecture!

6 collections à découvrir

COLLECTION Domino

Chenelière Mathématiques
Livrets de lecture

- ▨ 30 livrets gradués, répartis sur 3 niveaux (maternelle, 1ʳᵉ et 2ᵉ année).
- ▨ 3 grands livres pour chaque niveau.
- ▨ Des histoires savoureuses intègrent des contenus d'apprentissage du programme de mathématiques.
- ▨ Les illustrations sont en concordance avec le texte pour aider le lecteur à décoder l'histoire.
- ▨ Divers genres de textes sont abordés : fiction, documentaire, témoignage, etc.

- ▨ Une collection de livrets gradués conçue pour l'apprentissage des premiers concepts mathématiques et pour développer des habiletés de lecture (*Éveil* et *Débutant*).
- ▨ L'accent est mis sur des situations réelles qui illustrent l'utilisation des mathématiques au quotidien.
- ▨ Parce qu'il couvre un seul concept mathématique, chaque livret permet à l'enfant d'explorer un sujet en profondeur.
- ▨ Colorés et attrayants, les livrets proposent des textes simples, avec un vocabulaire accessible et de courtes phrases à structure répétitive.

PREMIERS MOTS

- ▨ 30 livrets gradués, répartis sur deux niveaux (*Initiation* et *Apprentissage*).
- ▨ Des histoires simples et stimulantes pour les apprentis-lecteurs.

MOTS-OUTILS

- ▨ 18 livrets gradués facilitent l'enseignement des mots usuels au lecteur débutant.
- ▨ Ces histoires invitantes rédigées avec des phrases à structures répétitives et prévisibles amènent l'élève à réinvestir ses connaissances et à bâtir sa confiance comme lecteur.

LOGIMOTS

- ▨ 24 livrets gradués, répartis sur trois niveaux (*Initiation*, *Apprentissage* et *Prolongement*).
- ▨ La gradation est établie en fonction de la longueur du texte, de la structure des phrases et de la complexité du vocabulaire.

ALPHA-JEUNES

- ▨ 175 livrets gradués sur 24 niveaux de lecture (*Initiation*, *Apprentissage*, *Transition* et *Prolongement*) ;
- ▨ La gradation sur 24 niveaux de lecture est établie en fonction de la longueur du texte, de la structure des phrases et de la complexité du vocabulaire.
- ▨ Les thèmes sont centrés sur les intérêts de l'élève et sont abordés dans des genres de textes diversifiés : fiction, documentaire, témoignage, etc.
- ▨ Les illustrations et les photographies colorées sont liées directement au texte.

Pour plus de renseignements ou pour commander, communiquez avec nous au (514) 273-1066 ou sans frais au 1 800 565-5531.

Chenelière McGraw-Hill

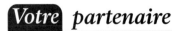
Votre partenaire *en éducation*

7001, boul. Saint-Laurent, Montréal (Québec) Canada H2S 3E3
Tél. : (514) 273-1066 ■ Téléc. : (514) 276-0324 ou 1 800 814-0324
Service à la clientèle : (514) 273-8055 ou 1 800 565-5531
chene@dlcmcgrawhill.ca ■ www.dlcmcgrawhill.ca